Contents

Introduction

If you understand the grammatical rules or patterns of a language, it's a real short cut towards learning the language. It will save you having to learn each word or phrase separately.

By working through the **Grammar in Action** series, you will practise many of the basic points of French grammar. This will be a great help to you in understanding and using the French language.

How to use this book

If you are using **Encore Tricolore**, use the grammar practice pages after you have worked through the corresponding unit in the Students' Book.

If you are not using **Encore Tricolore**, your teacher will tell you when to use the grammar practice pages.

Many pages start with a section called *Complète le résumé*. This is a short summary of the grammar point that you will be practising. It is important that you check that this is correct before you carry on. You can ask your teacher to check it for you, or check it yourself by referring to the reference section (*Grammaire*) at the back of this book.

Useful definitions

Some technical terms are used in the books and these are explained below. Have a quick look through this now and then refer back to it, if you need to, as you work through the book. There is also a reference section at the back of the book. This gives more detailed explanations of all the points of grammar covered in this book. You may want to refer to this, as you work through the different activities.

nouns (des noms)
A noun is the name of someone or something or the word for a thing, e.g. Ben, Miss Smith, a box, a pencil, laughter.

masculine and feminine (masculin et féminin)
All nouns in French are either masculine or feminine. (This is called their **gender.**) The **article** (word for 'a' or 'the') will usually tell you the gender of a noun.

singular and plural (le singulier et le pluriel)
A singular noun means that there is only one thing or person. In English, 'cat', 'teacher', 'idea' and 'table' are all nouns in the singular. Similarly in French, *le chat*, *le professeur*, *l'idée* and *la table* are all singular nouns. A plural noun means that there is more than one thing or person. For example, 'students', 'books', 'shops' are all plural nouns in English, just as *les étudiants*, *les livres* and *les magasins* are all plural nouns in French.

adjectives (des adjectifs)
Adjectives are words which tell you more about a noun and they are often called 'describing words'.
In the sentence 'Néron is a large, very fierce, black and white dog' (*Néron est un grand chien noir et blanc et très méchant*), the words big (*grand*), fierce (*méchant*), black (*noir*) and white (*blanc*) are adjectives. In French, adjectives agree with the noun. That is, they are masculine, feminine, singular or plural to match the noun they describe.

verbs (des verbes)
Every sentence contains at least one verb. Most verbs describe what things or people are doing (but the verb 'to be' also counts as a verb), e.g. he buys (*il achète*), I am (*je suis*), she plays (*elle joue*).
Sometimes verbs describe the state of things, e.g.

Il fait beau.　　　　　It is fine.
J'ai deux frères.　　　I have two brothers.

Verbs in French have different endings depending on the person (I, you, he, she etc.)

infinitive (l'infinitif)
This is the form of the verb which you would find in a dictionary. It means 'to …', e.g. 'to play' (*jouer*). The infinitive never changes its form.

prepositions (des prépositions)
A preposition is a word like 'to', 'at', 'from', 'in' (*à*, *de*, *dans*). It often tells you something about where a thing or a person is.

Pour t'aider, regarde **Encore Tricolore 1**, *page 15, ou* **Grammaire 1.1**, *page 38 de ce livre.*

1   Complète le tableau

		masculine	feminine	before a vowel
Ex.	the	*le*		
	a			
	it			
	he			
	she			

2   A la maison

Souligne les mots féminins.

Ex.   <u>la télévision</u>

1	la cuisine	7	un lit
2	le salon	8	une table
3	la salle à manger	9	une chaise
4	la salle de bains	10	le garage
5	la chambre	11	une fenêtre
6	le jardin	12	un magnétoscope

3   En ville

Souligne les mots masculins.

Ex.   <u>le cinéma</u>

1	la rue	7	le village
2	un magasin	8	la ville
3	un café	9	un appartement
4	un supermarché	10	une île
5	une maison	11	un pont
6	la porte	12	un arbre

6   Ecris les noms

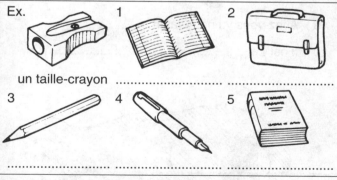

un taille-crayon ....

4   Fais des listes

	le	la	l'
Ex.	le père	la sœur	l'ami

amie, beau-frère, belle-sœur, cousin, cousine, enfant, femme, fils, fille, garçon, grand-père, grand-mère, homme, mère

5   Ça commence avec l'

If a noun is shown with *l'*, e.g. *l'enfant*, you may need to find out whether it is masculine or feminine. To do this, look it up in the vocabulary section of your text book or in a dictionary. The word will either be listed with *un* or *une* or it will be followed by m or f.

*Cherche ces mots dans 'Vocabulaire' (***Encore Tricolore 1***, pages 136–141), ou dans un dictionnaire.*

	nom	m ou f	anglais
Ex.	l'enfant	m	*child*
1	l'an	....	....
2	l'animal	....	....
3	l'école	....	....
4	l'éléphant	....	....
5	l'erreur	....	....
6	l'idée	....	....
7	l'instrument	....	....
8	l'oiseau	....	....
9	l'orange	....	....
10	l'uniforme	....	....

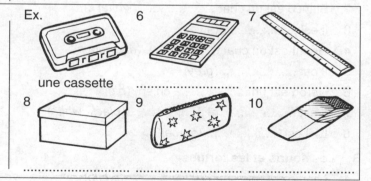

une cassette ....

7   Un acrostiche au masculin

1	man
2	shop
3	file
4	exercise book

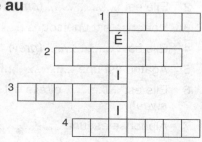

8   Un acrostiche au féminin

1	girl
2	room
3	house
4	window

Pour t'aider, regarde Encore Tricolore 1, *page 19, ou* Grammaire 2.1–2.2, *page 39 de ce livre.*

1 Complète le tableau

anglais	français	
	masculin	**féminin**
Most adjectives add an -e for the feminine form.		
Ex. blue	*bleu*	*bleue*
brown	*brun*	
grey		*grise*
black		*noire*
green	*vert*	
big	*grand*	
small		*petite*
naughty, fierce	*méchant*	
Adjectives which already end in -e have the same form in the feminine.		
yellow	*jaune*	
red		
enormous		
Sometimes the feminine form is slightly different.		
white	*blanc*	*blanche*
sweet		*mignonne*

2 Complète les phrases

A   Les chiens et les chats

Ex.   Télé est un *petit* chien. (*small*)

1   Il est .... (*black*)

2   Blanco est un chat .... (*white*)

3   Il est .... (*sweet*)

4   Géant est un chat .... (*enormous*)

5   Il est .... (*grey*)

6   Néron est un .... chien. (*big*)

7   Il est .... et .... (*black*, *white*)

8   Et il est .... (*fierce*)

B   Les souris et les tortues

1   Minnie est une souris................... (*white*)

2   Elle est .... (*small*)

3   Hortense est une souris .... (*enormous*)

4   Elle est .... (*grey*)

5   Agathe est une .... tortue. (*small*)

6   Elle est .... et elle est .... (*brown*, *sweet*)

7   Alphonse est une .... tortue. (*big*)

3   Des affaires scolaires de toutes les couleurs

Complète les phrases.

Ex.   une calculatrice ......*blanche*...... (*white*)

1   une gomme .... (*green*)

2   un cartable .... (*blue*)

3   un stylo .... (*red*)

4   une trousse .... (*yellow*)

5   un crayon .... (*white*)

6   un taille-crayon .... (*black*)

7   une règle .... (*brown*)

8   une boîte .... (*blue*)

9   un classeur .... et ....
(*blue*, *red*)

10   un sac .... et ....
(*green*, *yellow*)

4   Animaux perdus

Complète les descriptions.

a   Avez-vous vu notre lapin?

   Il est ....

b   Avez-vous vu notre chatte?

   Elle est ....

Pour t'aider, regarde Encore Tricolore 1, page 21, ou Grammaire 7, page 41 de ce livre.

1 Complète le résumé

Use *tu*:

● for a (1) .... or close relative;

● for someone your own age or (2) ....;

● for an (3) ....

Use *vous*:

● for (4) .... or more people;

● for an (5) .... person.

animal	friend	older	two	younger

2 En classe

Lis les phrases.
Si le prof parle à <u>un</u> élève, écris '1'.
Si le prof parle à toute la classe, écris '2'.

Ex.	Travaillez en groupes.	...2...
	Lis la question.	...1...
1	Asseyez-vous.	....
2	Ouvrez les livres.	....
3	Donne-moi ça.	....
4	Ecoutez la cassette.	....
5	Essuie le tableau.	....
6	Viens ici.	....
7	Distribue les cahiers.	....
8	Répondez aux questions.	....
9	Copiez les mots.	....
10	Ecris ton nom.	....

3 Trouve les paires

Ex.	You're calling the dog.	...c...		
1	You're calling the cat.	....	a	Est-ce que tu as un animal?
2	You ask your teacher if s/he likes sport.	....	b	Est-ce que vous avez un animal?
3	You ask your friend if s/he likes sport.	....	c	Viens ici.
4	You ask an old lady if she has a pet.	....	d	Venez ici.
5	You ask your friend's brother if he has a pet.	....	e	Distribue les livres.
6	You tell your friends to come to where you are.	....	f	Distribuez les livres.
7	You ask several friends which colour they prefer.	....	g	Est-ce que tu aimes le sport?
8	You ask your best friend which colour s/he likes best.	....	h	Est-ce que vous aimez le sport?
9	The teacher asks you to give out the books.	....	i	Tu préfères quelle couleur?
10	The teacher asks you and another pupil to give out the books.	....	j	Vous préférez quelle couleur?

4 Complète les bulles

Ex.

Tu habites à Paris?

J'aime Paris

3

Est-ce que .... a........................ les chiens?

1

.... h........................ à Paris?

2

Est-ce que .... a........................ la musique?

4

.... p........................ quel sport?

5

.... p........................ quel sport?

Pour t'aider, regarde **Encore Tricolore 1**, *page 23, ou* **Grammaire 6.2**, *page 40 de ce livre.*

1   Complète le tableau

- There are several ways of asking questions in French including just (1) .... your voice at the end of a (2) ....

- Often you can add ***Est-ce que*** to the (3) .... of a sentence to change it into a question.

- Remember to change this to ***Est-ce qu'*** if the next word begins with a (4) ....

beginning   raising   sentence   vowel

3   Questions et réponses

Trouve les paires.

Ex.   Est-ce que Jean-Marc joue de la guitare?   ...d....

1   Est-ce que Marseille est une grande ville?   ....
2   Est-ce que les magasins sont ouverts?   ....
3   Est-ce que nous avons beaucoup de devoirs ce soir?   ....
4   Est-ce qu'on va au café ce soir?   ....
5   Est-ce qu'il y a une banque près d'ici?   ....
6   Est-ce que Christophe et Coralie sont ici?   ....
7   Est-ce que nous sommes lundi aujourd'hui?   ....
8   Est-ce qu'on joue contre St Etienne samedi prochain?   ....
9   Est-ce que les vacances commencent le 6 juin?   ....
10   Est-ce que l'Ecosse a gagné le match?   ....

a   Christophe et Coralie sont ici.
b   Non, nous sommes mardi aujourd'hui.
c   Oui, l'Ecosse a gagné le match.
d   Oui, Jean-Marc joue de la guitare.
e   Oui, nous avons beaucoup de devoirs ce soir.
f   Non, les magasins sont fermés aujourd'hui.
g   Les vacances commencent le 6 juin.
h   Non, on va au cinéma ce soir.
i   On joue contre St Etienne samedi prochain.
j   Oui, il y a une banque près d'ici.
k   Oui, Marseille est une grande ville.

2   C'est une question?

Ecris **?** *après chaque question. Attention! Il y a aussi des phrases qui ne sont pas des questions.*

Ex.   Est-ce que tu as un chat   [?]
     Oui, j'ai un chat   [–]

1   Est-ce que tu as un animal à la maison   [   ]
2   Oui, j'ai deux animaux, un chat et un lapin   [   ]
3   Ma famille adore les animaux   [   ]
4   Mais mon père n'aime pas beaucoup les perroquets   [   ]
5   Est-ce que vous aimez les chiens   [   ]
6   Est-ce que tu préfères les chiens ou les chats   [   ]
7   Est-ce que tu aimes écouter la musique   [   ]
8   J'écoute souvent 'le Rock'   [   ]
9   Est-ce que tu préfères écouter des disques à la maison ou aller en discothèque   [   ]
10   Moi, j'adore les discothèques   [   ]

4   Change ces phrases en questions

Utilise **Est-ce que (qu')** – *l'expression magique!*

Ex.   Luc aime les jeux vidéo.   *Est-ce que Luc aime les jeux vidéo?*
     Il a un ordinateur.   *Est-ce qu'il a un ordinateur?*

1   Tu habites dans une grande ville.   ....
2   Tu as des frères ou des sœurs.   ....
3   Ta maison est assez grande.   ....
4   Il y a beaucoup de magasins dans ta ville.   ....
5   Les magasins sont fermés le dimanche.   ....
6   Tu aimes aller en ville le week-end.   ....
7   Tes amis aiment le shopping.   ....
8   Il y a un cinéma dans ta ville.   ....
9   Tu aimes le cinéma.   ....
10   Tu as des photos de ta famille.   ....

5   Pose des questions

In your first letter to a French boy or girl, ask questions to find out .....

> Salut!
> Je m'appelle Simon(e) et j'ai douze ans.

Ex.   if they're 12 as well   Est-ce que tu as *douze ans aussi?*

1   if they have any brothers or sisters   Est-ce que tu as ....
2   if they have any pets   ....
3   if they like sport   ....
4   if they like music   ....
5   if they have a computer   ....

Pour t'aider, regarde Grammaire 6.1-6.2, page 40 de ce livre.

1 Complète le tableau

You can ask questions in French by using a question word, e.g.

qui? meaning (1) .... ,

où? meaning (2) .... ,

quand? meaning (3) .... ,

combien? meaning (4) .... or

qu'est-ce que (qu')? meaning (5) ....

where?	what?	who?	when?	how many?

2 C'est une question?

*Ecris **?** après chaque question. Attention! Il y a aussi des phrases qui ne sont pas des questions.*

Ex.	Qui est-ce	[?]
	C'est le professeur	[–]
1	Qu'est-ce que tu fais	[ ]
2	Ça va bien merci	[ ]
3	C'est mercredi aujourd'hui	[ ]
4	Combien de CDs as-tu	[ ]
5	Comment ça va	[ ]
6	Qu'est-ce qu'il y a à la radio	[ ]
7	Qui est dans la salle de classe	[ ]
8	C'est quand, le match	[ ]
9	Il est comment, ton chien	[ ]
10	Mon chien déteste les oiseaux	[ ]

3 Trouve la question

Pour chaque réponse (R), trouve la bonne question (Q) (a–k).

Ex. Q: ....k.... R: Je m'appelle Michel (Michèle).

1 Q: .... R: J'ai douze ans.

2 Q: .... R: J'habite dans un appartement à Lille.

3 Q: .... R: Il y en a sept.

4 Q: .... R: Il y a un lit, une table et une télévision.

5 Q: .... R: Non, mais mon frère a un ordinateur.

6 Q: .... R: Oui, j'ai une perruche.

7 Q: .... R: Elle s'appelle Fifi.

8 Q: .... R: Elle est bleue et verte.

9 Q: .... R: Il fait du vent.

10 Q: .... R: J'aime aller en ville.

a   Quel âge as-tu?

b   De quelle couleur est-elle?

c   Il y a combien de chambres dans ta maison?

d   Est-ce que tu as un ordinateur?

e   Est-ce que tu as un animal ou un oiseau à la maison?

f   Qu'est-ce que tu aimes faire le samedi?

g   Qu'est-ce qu'il y a dans ta chambre?

h   Elle s'appelle comment?

i   Quel temps fait-il?

j   Où habites-tu?

k   Comment tu t'appelles?

4 Complète ce lexique

Choisis la bonne expression.

Ex. Est-ce que tu préfères .....? ..k..   a   *Have you (got) .....?*

1 Qui?   .....   b   *What is the weather like?*

2 Quel temps fait-il?   c   *What colour?*

3 Il (Elle) est comment?   .....   d   *Who?*

4 Combien (de .....)?   .....   e   *How many (.....)?*

5 Qu'est-ce que c'est?   .....   f   *Do you like .....?*

6 De quelle couleur?   .....   g   *How do you spell it?*

7 Est-ce que tu aimes .....?   .....   h   *Is there .....?/Are there .....?*

8 Est-ce que tu as .....?   i   *What is (he/she/it) like?*

9 Comment ça s'écrit?   .....   j   *What is it?*

10 Est-ce qu'il y a .....?   .....   k   *Do you prefer .....?*

5 Complète chaque phrase

Choisis une des expressions dans le lexique.

Ex. *Combien de* crayons as-tu?

1 Elle est ...., ta sœur?

2 .... est ton chat?

   Il est noir.

3 ....?

   Il fait froid.

4 Il y a .... chambres dans ton appartement?

5 .... un ordinateur?

6 .... les chiens?

   Oui, beaucoup. Mais je préfère les chats.

6 Pose des questions

In your letter to your French pen-friend, ask questions to find out .....

Ex. how they are   *Ça va?*

1 if they prefer the radio or the television

2 which colour they prefer

3 if they like tennis

4 what they like doing on Saturdays

5 what there is in their bedroom

Salut!
Merci beaucoup pour ta lettre.

Est-ce que ....

....

....

.... le samedi?

....

Pour t'aider, regarde Encore Tricolore 1, *page 29, ou Grammaire 7 et 7.2, page 41 de ce livre.*

1 Complète le résumé

Complète les phrases avec un mot dans la case.

1 Every sentence contains at least one (1) ....

2 Verbs usually tell you:

  a what someone (2) ....

  or

  b what (3) ....

3 The part of the verb that you find in a dictionary is called the (4) .... It means 'to do something', e.g. 'to play'.

4 Often verbs have different (5) .... according to the person or thing that the verb is talking about.

endings   is happening   infinitive   verb   is doing

Complète le verbe.
travailler – to work

je	....	I work, am working
tu	....	you work, are working
il	....	he/it works, is working
elle	....	she/it works, is working
Pierre	....	Pierre works, is working
Nicole	....	Nicole works, is working

2 Une conversation

Souligne les verbes.

– Moi, j'(Ex.) <u>adore</u> le sport. Je joue au tennis, au badminton et au golf et je regarde tous les matchs et les championnats à la télévision. Et toi, tu aimes le sport?

– Non, je déteste le sport. Je préfère la musique. Je joue de la trompette et j'écoute souvent des concerts à la radio.

3 On cherche un(e) correspondant(e)

Souligne le mot correct.

A Philippe

Ex. J'(<u>habite</u> / habites / habitent) au Canada.

1 J'(adores / adore / adorons) le sport.

2 Je (jouez / jouent / joue) au badminton.

3 Je (regarde / regardes / regardez) beaucoup de sport à la télé.

4 Je (cherche / cherches / cherchent) un correspondant français.

B Suzanne

5 Tu (habite / habites / habitez) en France?

6 Tu (aimes / aime / aimons) le sport et la musique?

7 Tu (parle / parles / parlez) français?

8 Tu (cherche / cherches / cherchent) une correspondante française?

  Alors, écris-moi!

Complète les phrases.

C Marc

Ex. Il ......*parle*........ français. (parler)

9 Il .... en Belgique. (habiter)

10 Il .... la musique. (adorer)

11 Il .... du piano. (jouer)

12 Il .... un correspondant anglais. (chercher)

D Nicole

13 Elle .... les animaux. (aimer)

14 Elle .... au golf. (jouer)

15 Elle .... le football. (détester)

16 Elle .... français et anglais. (parler)

4 Un petit lexique

Complète la liste.

français	anglais
Ex. adorer	*to adore/like very much*
aimer	....
arriver	....
chanter	....
chasser	....
chercher	....
danser	....
dessiner	....
détester	....

français	anglais
écouter	....
entrer	....
habiter	....
jouer	....
manger	....
parler	....
partager	....
penser	....
préférer*	....

français	anglais
ranger	....
regarder	....
rester	....
rentrer	....
sauter	....
travailler	....

With this verb, the accent changes to: je préfère, tu préfères, il/elle/on préfère.

Remember: when using a person's name, use the same part of the verb as when you use *il* or *elle*, e.g.:
Pierre regarde un livre. Nicole cherche les cahiers.

5 En classe

Complète les phrases.

Ex. Une fille parle avec une amie. (parler)

1 Un garçon .... un livre d'Astérix. (regarder)
2 Luc .... (dessiner)
3 Nicole .... aux cartes. (jouer)
4 Marc .... de la musique. (écouter)
5 Mon frère .... ses sandwiches. (manger)
6 Alain .... les chaises. (ranger)
7 Stéphanie .... un jeu. (chercher)
8 Robert .... un gâteau. (manger)
9 Lucie .... (chanter)
10 Un garçon .... sur une chaise. (sauter)
11 Une fille .... sur la table. (danser)
12 Attention! Le professeur .... (arriver)

6 Un frère ou une sœur, c'est bien?

– Tu (Ex. jouer) joues avec ton petit frère, Alain?

– Tu (1 penser) .... ! Henri (2 sauter) ....
sur le lit, il (3 dessiner) .... sur les
murs et il (4 manger) .... mes
bonbons. Et toi, Françoise, tu (5 aimer) ....
ta petite sœur?

– Oui et non. Sophie (6 partager) ....
ma chambre. Quand je (7 travailler) .... ,
elle (8 chanter) .... , elle
(9 danser) .... ou elle
(10 parler) .... tout le temps.

7 Conversations

Choisis le bon verbe dans la case, et écris la forme correcte.
Exemple: regarder – Tu *regardes*.

A On parle du sport

● Tu (Ex.) *regardes* le match aujourd'hui?
● Oui, ma sœur (1) j........................ le match. Et toi, tu (2) a........................ le hockey?
● Non, je (3) d........................ ça, mais j'(4) a........................ le tennis. Aujourd'hui, je (5) j........................ au tennis.

| adorer, aimer, détester, jouer, regarder |

B En discothèque

● Tu (1) d........................?
● Non, merci. Je (2) p........................ écouter la musique.
● Tu (3) a........................ cette chanson?
● Oui, c'est sensas!

| aimer, danser, préférer |

C Au téléphone

● Tu (1) t........................ aujourd'hui?
● Non, je (2) r........................ un film à la télé. Et toi?
● Je (3) r........................ ma chambre et j'(4) é........................ de la musique.
● Et ton frère?
● Il (5) j........................ au football.

| écouter, jouer, ranger, regarder, travailler |

D Au café

● Qu'est-ce que tu (1) m........................?
● Je (2) m........................ un sandwich au fromage. Tu (3) a........................ le fromage?
● Non, je (4) p........................ le chocolat.

| aimer, manger, préférer |

E Dans la rue

● Tu (1) p........................ français?
● Oui, (2) je p........................ français et anglais.
● Tu (3) h........................ en ville?
● Non, j'(4) h........................ dans un village près d'ici.

| habiter, parler |

Pour t'aider, regarde Encore Tricolore 1, page 36, ou Grammaire 7.2, page 41 de ce livre.

1 Complète le résumé

parler – to speak

je	....	I speak, am speaking
tu	....	you (fam.) speak, are speaking
il	....	he/it speaks, is speaking
elle	....	she/it speaks, is speaking
on	....	(some)one/we speak/s, is/are speaking
nous	....	we speak, are speaking
vous	....	you speak, are speaking
ils	....	they speak, are speaking
elles	....	they (fem.) speak, are speaking

Complète les phrases.

1 When using a person's name, use the same part of the verb as when you use *il* or *elle*, e.g.

Paul .... au football.
Paul is playing football.

Sophie .... au badminton.
Sophie is playing badminton.

2 .... can mean 'one', 'we', 'you', 'they' or people in general, e.g.

A Pâques, ... mange des œufs en chocolat.

At Easter, we eat Easter eggs.

3 *Ils* is used when there are two or more males or a mixed group, e.g.

Est-ce que Marc et Suzanne regardent le film?

Non, ... jouent au tennis dans le parc.

4 *Elles* is used when there are two or more females, e.g.

Mélanie et Claire jouent au tennis aussi?

Non, ... jouent sur l'ordinateur.

2 Trouve les paires

Ex.	Le chat	....*d*....	a	chante des chants de Noël.
1	Nous	....	b	travaillent dans un magasin.
2	En décembre, on	....	c	aimes le sport?
3	Vous	....	d	chasse l'oiseau.
4	Pierre et Nicole	....	e	préparons un gâteau spécial.
5	Tu	....	f	habite à Paris.
6	J'	....	g	parlez français, Madame?

3 Des cartes postales

Complète les phrases.

A

> Nice, le 27 mai
>
> Nous (Ex. passer) .....passons..... cinq jours chez des amis. Ils (1 habiter) .... à Nice. Monsieur Dupont (2 travailler) .... dans un restaurant, alors on (3 manger) .... très bien! Aujourd'hui, mon père (4 jouer) .... au golf, mais ma mère et moi, nous (5 jouer) .... au tennis. J'(6 adorer) .... ça.
>
> A bientôt,
> Dominique

B

> Strasbourg, le 2 juin
>
> Je (1 passer) .... une semaine en France. Ma correspondante (2 habiter) .... dans un village près de Strasbourg. Ses parents (3 travailler) .... dans le magasin du village. Aujourd'hui, il pleut, alors nous (4 jouer) .... au Monopoly. Marie (5 aimer) .... bien les crêpes, alors ce soir, nous (6 préparer) .... des crêpes pour toute la famille.
>
> Amitiés,
> Suzanne

4 Mots croisés

Horizontalement

1 Paul et Claire .... le chien. (chercher)
3 Le samedi, mon frère .... dans le supermarché. (travailler)
4 Tu .... ta chambre avec ton frère? (partager)
7 Je .... à quelque chose. (penser)
9 .... joue au football, le vendredi soir.
10 Vous .... la musique? (écouter)

Verticalement

2 A Noël, nous .... des chants de Noël. (chanter)
5 Le chat .... sur la table. (sauter)
6 Ma sœur .... dans le concert. (danser)
8 Est-ce que .... aimes le sport?

5 Faites des phrases

Pour t'aider, regarde les mots dans la case.

1

Je ....

2

Tu ....?

3

Il ....

4

Elle ....

5

Nous ....

6

Vous ....

7

Ils ....

8

Elles ....

chanter
chercher quelque chose
dessiner
jouer au football/au golf/sur l'ordinateur
préparer un gâteau
travailler dans le jardin

6 Mes amis

Ecris trois phrases (ou plus!).
Exemple: Mes amis jouent au tennis.
Pour t'aider:
- Où habitent-ils?
- Est-ce qu'ils aiment le sport/la musique/les ordinateurs/les animaux?
- Est-ce qu'ils jouent au football/au tennis/au badminton?
- Est-ce qu'ils parlent français/anglais?
- Est-ce qu'ils chantent/dansent/travaillent bien?

Pour t'aider, regarde **Encore Tricolore 1**, *page 40, ou*
Grammaire 1.2 et 2.1-2.2, pages 38 et 39 de ce livre.

1　Complète le tableau

singular (only one thing)	**plural** (two or more)
un, une	....
le, la, l'	....

Most words add *-s* to form the plural, e.g.

un livre	*des* ....

If the word already ends in *-s*, don't add another, e.g.

une	*des souris*

A few words have a special plural ending in *-x*, e.g.

un	*des oiseaux*
un	*des animaux*

Words which describe a plural noun, such as colours, are in the plural form as well.

un sac vert	*des sacs* ....

2　A l'école

Souligne les mots qui sont au singulier.

des cahiers	le tableau	une règle
Ex. <u>un ordinateur</u>	les élèves	un stylo
une gomme	la salle	des crayons
des sacs	des cartables	une trousse
le professeur	les livres	

3　A la maison

Souligne les mots qui sont au pluriel.

la porte	un salon	un chien
Ex. <u>les chambres</u>	un balcon	un appartement
la cuisine	des lits	un pantalon
une radio	une table	des chaussures
les fenêtres	les chaises	

4　Les animaux

Trouve les phrases qui sont au pluriel.
Exemple: 1, ...

1　Les lapins blancs mangent des carottes.
2　Un petit chien noir chasse un grand chat gris.
3　Les souris détestent les chats.
4　Les oiseaux aiment chanter.
5　Jojo adore le fromage.
6　J'ai un perroquet vert et rouge.
7　Mon ami a un grand chien brun.
8　Mes parents adorent les chiens.
9　Les chats chassent les souris.
10　Regarde le cheval blanc. Il est magnifique.

5　Complète les listes

singulier	pluriel
Ex.　un jour	*des jours*
un mois	....
une	des saisons
un	des poissons
la boîte	*les* ....
l'élève	....
....	les enfants
un	des gâteaux
un oiseau	....
le village	....
une...............................	des maisons

6　Ma famille

Complète les phrases.

Ex.　Dans ma famille il y a sept personne<u>s</u>.

1　J'ai deux frère__ et deux sœur__.
2　Nous avons aussi trois chat__, deux chien__ et six poisson__ rouge__.
3　Moi, j'adore l__ __ anim__ __ __.
4　Mes parent__ sont professeur__.
5　Ils travaillent dans deux collège__ différent__.

7　Alain et Alphonse

Complète les bulles.

Alain	**Alphonse**
J'ai	Mais moi, j'ai .....
Ex.　un lapin noir	deux lapins noirs
un grand perroquet	deux ....
un hamster mignon	trois ....
un chat fantastique	deux ....
un chien méchant	deux..................................
un rat horrible	cinq ....
un serpent vert	six ....
une tortue énorme	trois ....

Pour t'aider regarde **Encore Tricolore 1**, *page 48, ou* **Grammaire 3.1**, *page 39 de ce livre.*

1   Complète le résumé

To say '**to the**' or '**at the**' in French use .....

- *au* before a masculine word (e.g. *Je vais au match de football.*)
- *à la* before a (1) .... word (e.g. *Ma sœur reste* (2) .... *maison.*)
- (3) .... before a singular word beginning with a vowel (e.g. *Je parle* (4) .... *ami de Marie.*) or silent (5) ...., (e.g. *Mon père travaille à l'hôtel.*)
- *aux* before a (6) .... word (e.g. *Mon ami va* (7) .... *magasins.*)

2   Tout le monde travaille

Des mots masculins – remplis les blancs avec **au** *ou* **à l'**.

Ex.   M. Martin travaille *au* stade.

1   Le samedi, je travaille .... café.
2   Mme Lomer et sa sœur travaillent .... musée.
3   Le Docteur Fardeau travaille .... hôpital.
4   Georges travaille .... marché aux poissons.
5   Beaucoup de personnes travaillent .... office de tourisme.
6   Les enfants travaillent .... collège.
7   Mon ami travaille .... cinéma.
8   M. et Mme Gauthier travaillent .... Hôtel de la Gare.

3   Où va-t-on?

Des mots féminins – remplis les blancs avec **à la** *ou* **à l'**.

1   Les touristes vont .... cathédrale.
2   Mes parents vont .... maison.
3   Les touristes vont .... Tour Eiffel.
4   Les petits enfants vont .... école primaire.
5   Les familles en vacances vont .... plage.
6   Le professeur de Français va .... école secondaire.
7   Tout le monde va .... fête.
8   Il fait chaud, je vais .... piscine.

5   Pour aller à .....?

A toi de poser la question.

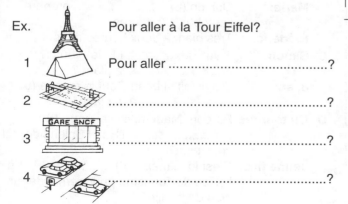

Ex.   Pour aller à la Tour Eiffel?

1   Pour aller ....?

2   ....?

3   ....?

4   ....?

4   Complète les phrases

Utilise **au**, **à la**, **à l'** *ou* **aux**, *et trouve le dessin correct.*

Ex.   Je passe mes vacances *à la* montagne (f). *A*

1   J'ai gagné ce prix .... carnaval (m).   ....
2   Le samedi matin, nous allons .... magasins.   ....
3   Les animaux aiment habiter .... ferme (f).   ....
4   Je vais .... poste (f).   ....
5   Mon oncle adore jouer .... golf (m).   ....
6   Il donne des poissons .... animaux.   ....
7   Elles vont .... église.   ....
8   Adolphe est .... aquarium.   ....

5   ....?

6   ....?

7   ....?

8   ....?

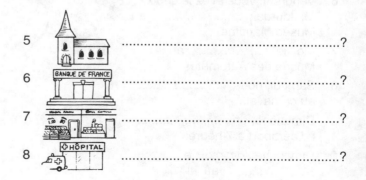

Pour t'aider regarde **Encore Tricolore 1**, *page 49, ou Grammaire 7.4, page 41 de ce livre.*

1 Complète le tableau

aller – to go

je	....	I go, am going
tu	....	you (fam.) go, are going
....	....	he/it goes, is going
elle	....	.... goes, is going
on	....	(some)one/we goes/go, is/are going
nous	allons	.... go, are going
vous	....	you ...., are going
ils	....	they ...., are going
....	vont	they (fem.) go, are going

Remember: one part of a French verb may be translated in several different ways in English, e.g. someone goes – *on va*; people are going – *on va*.

2 Aujourd'hui, c'est samedi

Trouve les paires.

Ex.	Ce matin, je	....a....	a	vais en ville.
1	Tu	....	b	va au match de football.
2	Mon frère Christophe	....	c	allez au restaurant avec moi.
3	Cet après-midi, nous	....	d	vas au parc.
4	Sébastien et Claire, ce soir, vous	....	e	vais au restaurant avec Sébastien et Claire.
5	Mes petites sœurs	....	f	vont au théâtre.
6	Ma mère et mon père	....	g	allons chez des amis.
7	Ce soir, je	....	h	vont à l'école primaire.

4 Une visite à La Rochelle

Ex. Lundi, on ..va.... au vieux port.

1 Mardi, nous .... à la plage.

2 Mercredi, les joueurs, vous .... au club de tennis.

3 Christine, tu .... au concert avec moi.

4 Les autres .... à la piscine.

5 Jeudi, on .... à l'île de Ré.

6 Vendredi, vous avez le choix: M. Jourdain .... au Musée Maritime.

7 Moi, je .... au Musée des Automates.

8 Samedi, nous .... au carnaval.

9 Dimanche, on .... à l'aéroport à 7 heures.

10 Dimanche soir, moi, je .... au lit!

3 Mots croisés

Horizontalement

1 Voici Christine; elle .... au café avec moi.

2 Où .... tu ce soir?

4 On .... au cinéma.

6 Marc adore le rugby et .... va au match.

7 Ce matin, nous .... au collège.

8 .... vas à l'école en autobus?

Verticalement

1 Aujourd'hui, je .... à l'école en train.

3 Où ....-vous?

5 Tous les enfants .... à la plage.

5 Complète les conversations

*Utilise une partie du verbe **aller**.*

Ex. **Marc:** Où vas-tu Monique?
Monique: Je vais au match.

A Loïc: Ce soir, nous (1) .... en discothèque. Tu aimes danser?

Magali: Oui, beaucoup, mais ce soir, je (2) .... chez des amis et on (3) .... manger au restaurant.

B Marie: Nous (4) .... au cinéma cet après-midi, Frédéric. Tu viens?

Frédéric: C'est vrai? Vous (5) .... tous au cinéma?

Marie: Oui, on (6) .... prendre l'autobus à 2 heures.

Frédéric: Très bien, à deux heures alors.

C Simon: Salut, Jean, salut, Linda! Vous (7) .... à la plage?

Jean: Oui, il fait si beau. Tout le monde (8) .... à la plage.

D Un touriste: Pardon, Mademoiselle, pour (9) .... à l'Hôtel Splendide, s'il vous plaît?

Jeune fille: C'est loin, mais (10) .... à l'office de Tourisme pour demander un plan de la ville.

Pour t'aider, regarde **Encore Tricolore 1**, *pages 17 et 51.*

1   Mots croisés

Horizontalement
2 behind
5 under

Verticalement
1 in front of   3 between
2 in   4 on

2   Dans ma chambre

Trouve la phrase correcte pour chaque dessin.

Ex. ....à....,1 ...., 2 ...., 3 ...., 4 ...., 5 ....

Ex.

1

2

3

4

5

Les phrases:
a   Le chat est sur le lit.
b   Le chat est sous le lit.
c   Il y a une télévision sur la table devant la fenêtre.
d   La fenêtre est entre la table et la télévision.
e   Il y a des oiseaux sur la lampe.
f   Il y a des oiseaux entre la lampe et l'ordinateur.
g   Il y a des vêtements sous la chaise.
h   Il y a des vêtements sur la chaise.
i   Mon cartable est sur la chaise.
j   Mon cartable est derrière la chaise.
k   Il y a beaucoup de magazines entre la télévision et la radio.
l   Il y a beaucoup de magazines devant la radio.

3   Au magasin de vêtements

Complète la description de l'image.

Ex.   Les robes sont *derrière* les T-shirts.

1   Les pantalons sont .... les jupes et les robes.
2   Les tricots sont .... les jupes.
3   Les jupes sont .... les tricots.
4   Les cravates sont .... les tricots et les T-shirts.
5   Les T-shirts sont .... les robes.
6   Les chaussures sont .... les T-shirts.
7   Les chaussettes sont .... les tricots.
8   Les sacs sont .... les chaussettes et les chaussures.
9   Les sacs sont .... les cravates.
10   Les pantalons sont .... les cravates.

4   Ma famille

Complète la description.

Voici une photo de ma famille **devant** notre maison.
Ma mère est (1) .... mon frère,
Martin, et mon père. Elle est (2) ....
ma grand-mère. Martin est (3) ....
mon petit frère, Richard. Je suis (4) ....
mon père. (5) .... ma grand-mère, il
y a ma petite sœur, Linda. Elle est
(6) .... ses deux lapins, Bobtail et
Miffy. Ils sont mignons!

Pour t'aider, regarde **Encore Tricolore 1**, *page 63, ou* **Grammaire 4.1**, *page 40 de ce livre.*

1 Quelle heure est-il?

Complète les phrases.

Ex. `1:05` Il est une heure *cinq*.

1 `1:10` Il est une heure ....

2 `1:20` Il est ....

3 `1:25` Il est ....

4 `2:05` Il est deux heures ....

5 `3:10` Il est ....

6 `4:20` Il est ....

7 `5:25` Il est ....

8 `7:05` Il est ....

9 `10:20` Il est ....

10 `11:25` Il est ....

2 Indique l'heure

Ex. `2:55` Il est trois heures moins cinq.

1 Il est trois heures moins dix.

2 Il est trois heures moins vingt.

3 Il est trois heures moins vingt-cinq.

4 Il est quatre heures moins cinq.

5 Il est cinq heures moins dix.

6 Il est six heures moins vingt.

7 Il est huit heures moins vingt-cinq.

8 Il est neuf heures moins dix.

9 Il est onze heures moins cinq.

10 Il est une heure moins dix.

3 Midi et minuit

Complète les phrases.

Ex. Il est *midi cinq*.

1 Il est ....

2 Il est ....

3 Il est ....

4 Il est minuit ....

5 Il est ....

6 Il est minuit moins ....

7 Il est ....

8 Il est midi moins ....

9 Il est ....

10 Il est ....

4 0.15/0.30/0.45

Indique l'heure.

Ex. `2:15` Il est deux heures et quart.

1 Il est trois heures et demie.

2 Il est quatre heures moins le quart.

3 Il est sept heures et quart.

4 Il est huit heures et demie.

5 Il est neuf heures moins le quart.

Ex. Il est midi et demi.

6 Il est minuit et demi.

7 Il est midi et quart.

8 Il est minuit moins le quart.

9 Il est midi moins le quart.

5 Rendez-vous à quelle heure?

Complète les conversations.

Ex. – Alors, rendez-vous à *quatre heures vingt-cinq.*

1
– Alors, rendez-vous à ....

2
– Alors, rendez-vous à ....

3
– Alors, rendez-vous à ....

4
– Qu'est-ce que tu fais à .... ?
On va au café?

5
– Ah non, mais à ...., je suis libre – ça va?

6
– Oui, oui. Alors rendez-vous au café à
....

7
– Fantastique! Et ce soir, on a rendez-vous à
.... au cinéma.

Pour t'aider, regarde **Encore Tricolore 1**, *page 56, ou Grammaire 7.4, page 41 de ce livre.*

1 Complète le tableau

être – to be

je	....	I am, am being
tu	....	you (fam.) are, are being
il	....	.... is, is being
......	....	she/it ...., is being
on	....	(some)one/we is/are, is/are being
nous	....	.... are, are being
....	*êtes*	you ...., are being
ils	....	they ...., are being
....	*sont*	.... (fem.) are, are being

3 Complète les questions

Ex. Alain, tu es dans ta chambre?

1 Où ....-tu?

2 Est-ce que Jean-Pierre .... à l'école?

3 Quand ....-vous libres ce week-end?

4 Où .... Marie ce matin?

5 Tu .... libre ce soir?

6 Où ....-vous, les enfants?

7 Où .... les enfants?

8 Ton frère .... là?

9 Quelle heure ....-il?

10 On .... à l'heure?

2 Ma famille

Trouve les paires.

Ex.	Notre famille	...d...		a	est l'aînée de la famille.
1	Je		....	b	sommes jumeaux.
2	J'ai treize ans, et mon anniversaire		....	c	est noir et blanc.
3	Mon frère Simon a treize ans aussi. Nous		....	d	est assez grande.
4	Simon		....	e	suis Alice Durand.
5	Nous avons deux sœurs, Claire et Isabelle. Elles		....	f	est plus petit que moi.
6	Claire		....	g	est le trois mai.
7	Nous avons un chat, Mitzi. Il		....	h	sont très mignons.
8	Il y a aussi trois lapins. Ils			i	sont très gentilles.

4 Complète les réponses et trouve les paires

a	Non, il .... en vacances.		....
b	Nous .... libres dimanche.		....
c	Oui, il .... dans la cuisine aussi.		....
d	Oui, je .... dans ma chambre.		Ex.
e	Oui, oui, nous .... à l'heure.		....
f	Ils .... dans le jardin.		....
g	Il .... midi.		....
h	Je .... dans la cuisine.		....
i	Nous .... dans le jardin.		....
j	Elle .... à la maison.		....
k	Oui, je .... libre.		....

5 Des lettres pour Mathilde et Caroline!

Remplis chaque blanc avec une partie du verbe **être**.

Fac: Bonjour, Mlle. Cette lettre (Ex.) ..*est*.. pour Mlle Caroline Lionel. Vous (1) .... Mlle Caroline Lionel?

M: Non, Monsieur. Moi, je (2) .... Mathilde Lionel.

Fac: Mais cette lettre (3) .... pour Mlle Caroline Lionel. Elle habite ici?

M: Bien sûr. C' (4) .... ma sœur. Nous (5) .... jumelles. Caroline, tu (6) .... là? Il y a une lettre pour toi.

Fac: Ah, bonjour, Mlle. Vous (7) .... Mlle Caroline Lionel?

C: Oui, oui. Je (8) .... Caroline Lionel.

Fac: Très bien. Signez ici, s'il vous plaît.

C: Au revoir, Monsieur.

Fac: Attendez, attendez! Il y a d'autres lettres encore.

C: D'autres lettres pour moi?

Fac: Non, non. Cette fois, les lettres (9) .... pour Mlle Mathilde Lionel.

C: Zut alors, ça recommence! Mathilde, Mathilde! Tu (10) .... toujours là? Il y a des lettres pour toi!

Pour t'aider, regarde Encore Tricolore 1, *page 63.*

1 Complète le résumé

A Saying what someone's job is in French is quite straightforward – just use the correct part of the verb *être* + the name of the job.

*Je **suis** chanteur.*	I am a* singer.
(1) .... *est boulanger.*	He is a* baker.
Elle (2) .... *vétérinaire.*	She is a* vet.
Ils (3) .... *acteurs.*	They are actors.
Elles (4) .... *employées*	They work at a
de (5)	bank.

* The word for 'a/an' is not included in French when talking about jobs.

B Most words for jobs have a different feminine form.

masculin	féminin	anglais

Some words just add an *-e*:

employé	*employée*	worker

Words which end in *-er* form the feminine in *-ère*:

boulanger	*boulangère.*	baker
épicier	(1)	grocer
(2)	*infirmière*	(3) ....

Most words which end in *-eur* form the feminine in *-euse* or *-rice*:

chanteur	(4)	singer
(5)	*dessinatrice*	designer

Words which end in *-en* form the feminine in *-enne*:

technicien	*technicienne*	technician

But some words don't have a different feminine form:

professeur	*professeur*	(6) ....
secrétaire	(7)	(8) ....

2 Trouve la bonne image

Ex.	Je suis boulanger.	..A..
1	M. Jourdain est vétérinaire.	....
2	Mon frère est chanteur.	....
3	Nous sommes infirmières.	....
4	Mme Leval est dessinatrice.	....
5	Jean-Luc et Michel sont vendeurs.	....
6	Mon grand-père est conducteur d'autobus.	....
7	Mme Jallow est professeur de biologie.	....

3 Complète les mots

Utilise -eur, -er, -é, -aire, -ier, -ien.

1	Il est boulang..........	6	Il est infirm..........
2	Il est chant..........	7	Il est music..........
3	Il est conduct..........	8	Il est profess..........
4	Il est dessinat..........	9	Il est secrét..........
5	Il est employ..........	10	Il est électric..........

4 Complète le lexique

	masculin	féminin	anglais
Ex.	boulanger	boulangère	*baker*
1	vendeur	....	*shop assistant*
2	....	actrice	*actor (actress)*
3	....	....	*singer*
4	employé de bureau	.... de bureau	*office worker*
5	.... d'autobus	conductrice d'autobus	*bus driver*
6	dessinateur	....	*designer*
7	musicien	....	*musician*
8	.... de tennis	joueuse de tennis	*tennis player*

5 Complète ces listes

Pour t'aider, regarde dans le dictionnaire.

	masculin	féminin	anglais
Ex.	boucher	bouchère	*butcher*
1	caissier	....	....
2	coiffeur	....	....
3	cuisinier	....	....
4	épicier	....	....
5	fermier	....	....
6	informaticien	....	....
7	mécanicien	....	....
8	technicien	....	....

6 Trouve les paires

Ex.	Il amuse les enfants au cirque.	..d..
1	Il travaille au collège.	....
2	Elle travaille dans une boulangerie.	....
3	Ils travaillent au théâtre.	....
4	Elle travaille avec les animaux.	....
5	Elles travaillent dans un bureau.	....
6	Il travaille dans le transport.	....
7	Elle travaille avec des touristes.	....
8	Il travaille sur un ordinateur.	....

a	Elle est vétérinaire.	f	Elle est employée à l'office de tourisme.
b	Il est professeur.		
c	Il est informaticien.	g	Elles sont secrétaires.
d	Il est clown.	h	Il est conducteur d'autobus.
e	Ils sont acteurs.	i	Elle est boulangère.

Pour t'aider regarde **Encore Tricolore 1**, _page 58, ou_ **Grammaire 2.3**, _page 39 de ce livre._

1 Complète le résumé

In French there are .... words for 'my' – _mon, ma_ or _mes._

masculine (un/le)	feminine (une/la)	before a vowel (un/une/l')	plural (les)
mon frère	ma sœur	mon ami	mes amis
.... crayon	.... guitare	.... amie	.... disques

Decide which one to put by looking at the noun which **follows** 'my', **not** the owner, e.g.

masculine	feminine	before a vowel	plural

Voici **mon** lapin, **ma** souris, **mon** oiseau et **mes** poissons.

Voici .... lapin, ... souris, ... oiseau et .... poissons.

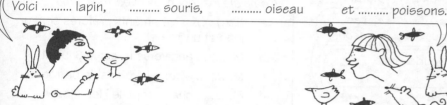

2 Complète le tableau

	a/some	the	my
Ex.	un chien	le chien	mon chien
1	un chat	.... chat	.... chat
2	une guitare	.... guitare	.... guitare
3	.... calculatrice	la calculatrice	.... calculatrice
4	des cassettes	.... cassettes	.... cassettes
5	.... animaux	les animaux	.... animaux
6	une affiche	l'affiche	.... affiche
7	des photos	.... photos	.... photos
8	.... affaires	.... affaires	mes affaires
9	.... montre	la montre	.... montre
10	.... vélo	.... vélo	mon vélo

3 5–4–3–2–1

Cherche des mots dans la case.
Trouve cinq mots masculins au singulier:

5 mon (Ex.) _stylo_, mon ...., mon ....,
mon ...., mon ....

Trouve quatre mots au singulier qui commencent avec 'a', 'e', 'i', 'o' ou 'u':

4 mon ...., mon ...., mon ....,
mon ....

Trouve trois mots féminins au singulier:

3 ma ...., ma ...., ma ....

Trouve deux mots au pluriel:

2 mes ...., mes ....

Trouve un mot au singulier qui commence avec 'h':

1 mon ....

un stylo	une amie	le dessin	l'aquarium	une carte
une gomme	les vêtements	un perroquet	une orange	
des cadeaux	l'emploi	un magazine		
une télévision	le sandwich	un hamster		

4 Qu'est-ce qu'il y a dans ta valise?

Pour la valise de tes vacances, tu choisis seulement les choses qui commencent avec 'c', 'p', ou 't'. Qu'est-ce qu'il y a dans ta valise?

Il y a (Ex.) _mes chaussures, mon_ ....

....

....

....

5 Complète la lettre

Salut!

Merci pour ta lettre intéressante. Voici (Ex.) _mes_ réponses à tes questions.

(1) .... anniversaire est le dix-huit avril. (2) .... frère s'appelle Olivier, et (3) .... amie s'appelle Coralie. Le dimanche, j'aime sortir avec (4) .... amis ou jouer avec (5) .... petit chien ou (6) .... trois cochons d'Inde. (7) .... couleur favorite est l'orange et (8) .... sports favoris sont le badminton et le ski. (9) .... émission de télé préférée est 'Chanteurs, chanteuses' et (10) .... animal favori est l'éléphant.

Pour t'aider, regarde Encore Tricolore 1, *page 59, ou Grammaire 2.3, page 39 de ce livre.*

1 Complète le résumé

Ton, ta and *tes* are the three French words for 'your', if you are speaking to someone you would normally call *tu*.
They work just like *mon, ma* or *mes* ('my').

masculine (un/le)	feminine (une/la)	before a vowel (une/l')	plural (les)
ton frère	ta sœur	ton ami	tes amis
.... crayon	.... guitare	.... amie	.... disques

Remember you decide which one to put by looking at the noun which *follows* 'your' **not** the owner, e.g.

masculine	feminine	before a vowel	plural
J'aime **ton** lapin	et **ta** souris,	et j'adore **ton** oiseau	et **tes** poissons.

J'aime t.......... lapin, et j'aime beaucoup t.......... souris, mais je préfère t.......... oiseau et t.......... poissons.

2 Complète le tableau

	the	my	your
Ex.	le chien	mon chien	ton chien
1	.... chambre	ma chambre	t.......... chambre
2	le lit	.... lit	.... lit
3	.... chaise	ma chaise	.... chaise
4	les classeurs	.... classeurs	.... classeurs
5	.... cadeaux	mes cadeaux	.... cadeaux
6	l' affiche (fem.)	mon affiche	.... affiche
7	les livres	.... livres	.... livres
8	.... lampe	.... lampe	ta lampe

3 Thomas travaille(?)

Tu as toutes (Ex.) tes affaires, Thomas? Tu as (1) t.......... trousse (f) avec (2) t.......... crayons, (3) t.......... stylo (m), et (4) t.......... gomme (f)? Tu as (5) t.......... taille-crayon (m), (6) t.......... calculatrice (f) et (7) t.......... classeur (m)? Tu es sûr que tu as (8) t.......... livres?

Bien sûr, Maman. Maintenant, je vais travailler.

4 Des questions

Complète les questions avec 'ton', 'ta', 'tes'.
Ex. Quelle est ta couleur favorite?
1 Quel est .... film favori?
2 T.......... anniversaire, c'est quand?
3 T.......... chat s'appelle comment?
4 Quel est .... sport préféré?
5 Où est .... sœur?
6 Comment s'appelle .... amie?
7 Quel est .... oiseau favori?
8 Quels sont .... vêtements préférés?

5 Des réponses

Complète les réponses avec 'mon', 'ma', 'mes'.
a (Ex.) Mes vêtements préférés sont un jean et un T-shirt.
b M.......... anniversaire est le 6 juillet.
c M.......... oiseau favori est le perroquet.
d M.......... chat s'appelle Hercule.
e M.......... amie s'appelle Claire Rousseau.
f M.......... sœur est en ville.
g M.......... sport préféré est le rugby.
h M.......... film favori est le 'Titanic'.
i M.......... couleur favorite est rouge.

6 Trouve les paires

Exemple: Quelle est ta couleur favorite? i
1 ...., 2 ...., 3 ...., 4 ....,
5 ...., 6 ...., 7 ...., 8 ....

7 Une lettre à Michel

Complète les questions.

Cher Michel,

Ça va? Aujourd'hui c'est ma fête. (Ex.) Ta fête, c'est quand?

C'est samedi, mon jour favori. Quel est
(1) ....?
Aussi, c'est juillet, mon mois préféré. Quel est
(2) ....? Aujourd'hui, à midi, on mange au restaurant. Le déjeuner est mon repas favori. Quel est
(3) ....? Il y a beaucoup de restaurants ici, parce que ma ville est assez grande. Est-ce que
(4) .... est grande ou petite? Ce soir, à la télé, il y a mon émission favorite — c'est 'Jeux Jeunesse'. Quelle est (5) ....?
Maintenant, je vais regarder la télé.

Réponds-moi vite,
Richard

Pour t'aider, regarde **Encore Tricolore 1**, *page 66, ou Grammaire 1.4, page 38 de ce livre.*

1   Complète le résumé

masculine	feminine	before a vowel	plural
.... *lait*	.... *confiture*	.... *omelette*	.... *poires*
.... *fromage*	.... *eau*	.... *viande*	.... *légumes*

Du, de la, de l', des mean 'some' or 'any'.

Tu veux .... *eau minérale?*   Do you want some mineral water?

Est-ce qu'il y a .... *pain?*   Is there any bread?

2   Listes de provisions

Complète les listes.

A *Des mots masculins – du.*

	français	**anglais**
Ex.	du beurre	*butter*
1	.... miel	*honey*
2	.... jus de fruit	....
3	.... potage	....
4	....	*milk*
5	.... poulet	....
6	....	*fish*
7	.... chou-fleur	....
8	.... chou	....
9	....	*bread*
10	....	*sugar*
11	....	*coffee*
12	....	*tea*

B *Des mots féminins – de la, de l'.*

Ex.	de la confiture	*jam*
1	....	*salad*
2	....	*meat*
3	....	*lemonade*
4	....	*pizza*
5	....	*water*
6	....	*omelette*

C *Des mots pluriels – des.*

Ex.	des carottes	*carrots*
1	.... chips	....
2	....	*chips*
3	.... petits pois	....
4	....	*bananas*
5	.... fraises	....
6	....	*apples*
7	....	*tomatoes*
8	.... pêches	....

3   Le pique-nique

Qu'est-ce qu'il y a pour le pique-nique?

Il y a (Ex.) *de l'Orangina* (1) ....,

(2) ...., (3) ....,

(4) ...., (5) ....,

(6) ...., (7) ....,

(8) ...., (9) ....

4   Manger, c'est bien

Complète les phrases avec des mots dans la case.

1 Pour le petit déjeuner, je mange des (Ex.) *céréales*, du .... avec du .... et de la ...., et je bois du ....

> beurre,   céréales,   chocolat chaud,   confiture,   pain

2 Je prends le déjeuner au collège. Voilà un repas typique: du .... avec des .... et des ...., et comme boisson, de l'........................

> carottes,   eau,   pommes de terre,   poulet

3 Pour le goûter, je mange des .... avec du .... ou de la ...., et je bois du ....

> confiture,   jus d'orange,   miel,   tartines

4 Pour le dîner, nous mangeons souvent du ...., puis de la .... et des .... Comme dessert, il y a des .... ou du ....

> fruits,   légumes,   potage,   viande,   yaourt

5   A toi!

1 Qu'est-ce que tu prends pour le petit déjeuner?

2 Décris un déjeuner typique (avec 3 choses à manger et 1 chose à boire).

3 Décris ton repas favori. (Commence: Mon repas favori est .....)

Pour t'aider, regarde **Encore Tricolore 1**, *page 75, ou* **Grammaire 7.3**, *page 41 de ce livre.*

1 Complète le résumé

prendre – to take, to have (drink, meal etc.)

je	....	I take, am taking
tu	....	you (fam.) take, are taking
il	....	he/it takes, is taking
elle	....	she/it takes, is taking
on	....	(some)one/we take/s, is/are taking
nous	....	we take, are taking
vous	....	you take, are taking
ils	....	they take, are taking
elles	....	they (fem.) take, are taking

2 Complète les questions

Ex. Qu'est-ce que vous prenez comme boisson?

1 Est-ce que tu .... un fruit?

2 Qu'est-ce que Pierre .... pour le goûter?

3 Est-ce que tes amis .... le déjeuner à la cantine?

4 Est-ce que Nicole .... du sucre?

5 On .... quel autobus pour aller en ville?

6 Est-ce que tes parents .... le train pour aller à Paris?

7 Vous .... un dessert ou du café?

8 A quelle heure est-ce que vous .... le petit déjeuner?

9 Qu'est-ce que tu .... comme boisson?

3 Complète les réponses

a Je .... de l'eau minérale, s'il vous plaît.

b Oui, elle .... du sucre.

c Nous .... le petit déjeuner vers 8 heures.

d Vous .... l'autobus numéro 7.

e Non, ils .... des sandwichs.

f Oui, je .... une pomme.

g Nous .... du café, seulement.

h Il .... du pain avec du chocolat.

i Oui, ils .... le train de 8h10.

j Nous .... de l'eau minérale.

4 Trouve les paires

Ex. Qu'est-ce que vous prenez comme boisson? ..j..

1 ...., 2 ...., 3 ...., 4 ...., 5 ....,
6 ...., 7 ...., 8 ...., 9 ....

5 Mots croisés

Horizontalement

1 Les Français ..... le dîner entre sept et neuf heures du soir.

3 Ta sœur, est-ce qu' ..... prend des sandwichs pour le déjeuner?

6 Pour le restaurant, ... la première rue à gauche.

8 Pour aller au cinéma Rex, ... prend quel autobus?

9 Qu'est-ce que tu ..... comme dessert?

Verticalement

1 Nous ..... le train de 9 heures.

2 Est-ce que ..... prends du café ou du thé?

4 Claire ..... du sirop.

5 Moi, ... prends de la limonade.

7 Encore du café? ....., merci.

6 Une lettre

Complète la lettre avec la forme correcte du verbe 'prendre'.

Cher Alex,

Le matin, je (Ex.) prends un bon petit déjeuner, des céréales avec du toast et du chocolat chaud. Et toi, qu'est-ce que tu (1) .... pour le petit déjeuner?

Je quitte la maison et je (2) .... l'autobus pour aller au collège. Normalement, l'autobus (3) .... trente minutes pour faire le voyage.

A midi, je (4) .... le déjeuner dans la cantine. Dans ma classe, deux ou trois élèves (5) .... le déjeuner à la maison. Et toi, est-ce que tu (6) .... des sandwiches?

Le soir, nous (7) .... le dîner à sept heures et demie. Et vous, vous (8) .... le repas du soir à quelle heure?

A bientôt,
Lucie

Pour t'aider, regarde Encore Tricolore 1, *page 7, ou*
Grammaire 5, page 40 de ce livre.

1   Complète le résumé

The negative means 'not', 'isn't', 'don't', 'doesn't' etc.
To say 'not' in French you need two short words –
(1) .... (or *n'* before a vowel) and (2) .... They go
round the verb.

Here are some examples:

français	anglais
Il n'est pas français.	He's not French.
(3) *Tu ne comprends ....?*	Don't you understand?
(4) *Elle .... joue ....* *au football.*	She doesn't play football.
(5) *Je .... pas.*	I don't think so.
(6) *Ce ....: ...... juste.*	It's not fair.

2   Des phrases mélangées

Ecris ces phrases correctement.

Ex. | ne | cinéma | vais | au | pas | Je |
      Je ne vais pas au cinéma.

1 | ne | va | Ça | pas |
2 | pas | Je | comprends | ne |
3 | difficile | Ce | pas | n'est |
4 | mange | pas | de viande | Elle | ne |
5 | Je | d'alcool | pas | bois | ne |
6 | pas | parle | ne | russe | Je |
7 | lapins | n' | Les | le poisson | pas | aiment |
8 | pas | ville | aujourd'hui | n' | Nous | allons | en |
9 | ici | pas | fait | beau | Il | ne |

3   Ça ne va pas!

Complète les phrases avec un verbe dans la forme négative.

Ex.   Luc et Lucie *n'aiment pas* rester à la maison.
(aimer)

1   Aujourd'hui, ils ....
    contents. (être)

2   Ils .... au football. (jouer)

3   Ils .... leur pique-nique
    dans le parc. (manger)

4   Ils .... à la plage. (aller)

5   Ils .... le match au
    stade. (regarder)

6   Ils .... dans le jardin.
    (travailler)

7   Pourquoi? Il .... beau.
    (faire) Il fait un temps affreux!

4   Hercule et Hector

Hercule, mon chien, et Hector, mon chat, sont très différents. Décris Hector.

Ex.   Hercule écoute la radio.
      Hector *n'écoute pas la radio.*

1   Hercule regarde la télé.
    Hector ....

2   Hercule est grand.
    Hector ....

3   Hercule joue avec les enfants.
    Hector ....

4   Hercule aime le sport.
    Hector ....

5   Hercule va souvent au parc.
    Hector ....

6   Hercule est très intelligent.
    Hector ....

7   Hercule mange beaucoup.
    Hector ....

8   Hercule est gris.
    Hector ....

5   Et toi?

Réponds aux questions dans la négative.

Ex.   Vas-tu souvent au théâtre?
      Non, je ne vais pas souvent au théâtre.

1   Vas-tu souvent à New York?
    ....

2   Est-ce que tu joues au cricket?
    Non, je ....
ou   Oui, mais je ne joue pas ....

3   Est-ce que tu es chinois?
    ....

4   Qu'est-ce que tu n'aimes pas?
    Je n'aime pas ....

5   Qu'est-ce que tu ne bois pas?
    ....

6   Qu'est-ce que tu ne manges pas?
    ....

7   Est-ce que tu parles italien?
    ....

8   Est-ce que tu prépares souvent le déjeuner?
    ....

Résumé

There are several ways of asking a question in French.

- You can just raise your voice in a questioning way:
  Tu as des frères et des sœurs?   Do you have any brothers and sisters?
- You can add *Est-ce que* to the beginning of the sentence:
  Est-ce que tu as un animal?   Do you have a pet?
- You can turn the verb around:
  Quel sport préfères-tu?   Which sport do you prefer?
- You can use a question word, such as *qui?* (who?) and *quel, quelle, quels, quelles?* (which?).

As you often need to use verbs when asking and answering questions, look again at pages 8–9 to check regular *-er* verbs and at page 14 to check *aller* (to go).

1 Complète les questions

Ex.   Le magasin *ferme* à quelle heure? (fermer)

1   Est-ce que je .... dans la voiture? (monter)

2   Tu ne .... pas? (penser)

3   Il ne .... pas au badminton? (jouer)

4   Est-ce qu'elle .... son père? (aider)

5   Le film .... à quelle heure? (commencer)

6   Ça .... combien de temps? (durer)

7   Nous n'........................... pas en ville? (aller)

8   Vous ne .... pas aujourd'hui? (travailler)

9   Ils ne .... pas le match? (regarder)

10   Elles n'........................... pas le golf? (aimer)

11   Les cartes .... combien? (coûter)

12   Est-ce que les élèves .... la journée à Paris? (passer)

2 Trouve la bonne traduction

Often there are various ways of translating a verb from French into English. Find a suitable translation for each of the questions in task 1.

Ex.   When does the shop close?   *Ex.* ....

a   Aren't you working today?   ....

b   Don't they like golf?   ....

c   At what time does the film start?   ....

d   Shall I get in the car?   ....

e   How much do the cards cost?   ....

f   Isn't he playing badminton?   ....

g   Are the pupils spending the day in Paris?   ....

h   How long does it last?   ....

i   Aren't they watching the match?   ....

j   Aren't we going into town?   ....

k   Don't you think so?   ....

l   Is she helping her father?   ....

3 Likes and dislikes

Complète la conversation.

– Moi, j' (Ex. adorer) *adore* les bananes. Et toi, est-ce que tu (1 aimer) .... les fruits?

– Oui, j' (2 aimer) .... beaucoup les fruits.

– Quels fruits (3 préférer) ....-tu?

– J' (4 adorer) .... les oranges et les pêches.

– Est-ce que tu (5 manger) .... de la viande?

– Non, je ne (6 manger) .... pas de viande.

– Et tes parents, est-ce qu'ils (7 manger) .... de la viande ou du poisson?

– Oui, ils (8 manger) .... de tout.

– Quels légumes (9 aimer) ....-tu?

– J' (10 aimer) .... les pommes de terre et les petits pois, mais je n' (11 aimer) .... pas les carottes.

– Est-ce qu'il y a quelque chose que tu (12 détester) ....?

– Oui, je (13 détester) .... le miel.

4 Answering questions

A Toi

There will be several correct replies to these questions, but remember to use *je* or *j'* in all your answers.

Ex.   Est-ce que tu habites en Australie?

Non, j'habite en Angleterre/en Ecosse/en Irlande/au pays de Galles.

ou   *Non, je n'habite pas en Australie.*

1   Est-ce que tu habites à Londres?

2   Aimes-tu les animaux?

3   Est-ce que tu manges beaucoup de fruits?

4   Est-ce qu'il y a des légumes que tu n'aimes pas?

5   Tu joues au badminton?

6   Est-ce que tu regardes la télévision le soir?

7   Tu préfères l'eau ou la limonade?

8   Tu préfères le poisson ou la viande?

B Ta famille, ton collège, tes amis

Again there will be several correct replies. As these questions ask about your family, your school or your friends, use *nous* (we) in each answer.

Ta famille

Ex.   Est-ce que vous habitez dans une maison ou un appartement?

Nous habitons dans une maison.

1   Est-ce que vous habitez dans une ville ou un village?

Ton collège

2   Vous travaillez au collège jusqu'à quelle heure?

3   Est-ce que vous allez au collège le samedi?

4   Jouez-vous au football/basket/hockey au collège?

Avec tes amis

5   Aimez-vous jouer sur l'ordinateur?

6   Préférez-vous écouter de la musique ou regarder la télévision?

7   Est-ce que vous allez à la piscine ou au parc?

8   Jouez-vous aux cartes?

Pour t'aider, regarde **Encore Tricolore 1**, *page 78, ou Grammaire 7.2, page 41 de ce livre.*

1   Complète le résumé

acheter – to buy

j'	....	I buy, I am buying
tu	....	you (fam.) buy, are buying
il	....	he/it buys, is buying
elle	achète	she/it ...., is ....
on	....	(some)one/we buy/s, is/are buying
nous	achetons	we ...., are ....ing
vous	....	you buy, are buying
ils	achètent	they buy, are buying
elles	....	they (fem.) buy, are ....

- The endings of this verb are (1) .... as for other *-er* verbs.
- The part that sometimes changes is (2) ....
- In the **nous** and **vous** parts of the verb, the stem stays **the same** as in the (3) ....
- In all the singular parts (*je, tu, il/elle/on*) and the third person of the plural (*ils/elles*) you add (4) .... to the *-e-* in the stem.

> the same   a grave accent (`)   the stem   infinitive

2   Souligne le mot correct

Ex.   Le samedi, j'(<u>achète</u> / achètes / achètent) beaucoup de choses.

1. Ma mère (achète / achètes / achètent) tout au supermarché.
2. Moi, j'(achetons / achètes / achète) mes affaires en ville, le samedi après-midi.
3. Est-ce que tu (achète / achètes / achetez) des vêtements quelquefois?
4. Si je suis avec mes amis, nous (achètes / achetons / achetez) quelquefois des vêtements.
5. Vous (achètent / achètes / achetez) les vêtements dans les grands magasins?
6. On (achètent / achetons / achète) les T-shirts etc. au marché, mais .....
7. ..... nous (achètes / achetons / achetez) les jeans dans les magasins de mode.
8. Mes sœurs (achètent / achetons / achetez) leurs vêtements chez *Printemps* – c'est leur magasin favori.

3   préférer et compléter

These two verbs are rather like *acheter*, but, as you can see from their infinitives, they already have an acute accent (*é*) on the *-e-* in the stem. However, they change this to a grave accent (*è*) in all but the **nous** and **vous** forms.

Préférer has **two** acute accents in the stem, but the first one stays **the same** in all parts of the verb.

            préférer

stays the same ╱   ╲ changes in sing. and 3rd pers. pl.

Regarde le verbe 'acheter', puis complète le tableau.

préférer – to prefer	*compléter* – to complete
je préfère	*je complète*
tu préfères	*tu c..............es*
il/elle p...................	*il/elle c...................*
on p...................	*on c...................*
nous préférons	*nous complétons*
vous p	*vous c ....*
ils/elles p...................	*ils/elles c...................*

5   Complète les questions

Ex.   Qu'est-ce qu'on *achète* pour Pâques?

1. Où est-ce qu'on a................... des timbres?
2. Tu p................... les vacances dans un camping ou dans un hôtel?
3. Tes parents a................... les provisions au supermarché ou dans les petits magasins?
4. Le week-end, tu c.............. tes devoirs le vendredi soir ou le dimanche soir, normalement?
5. Où p...................-vous passer le samedi soir, vous et vos amis?

6   Complète les réponses

a. Nous p................... aller en discothèque ou au cinéma.
b. Je p................... le camping.
c. On a................... les timbres à la poste ou au bureau de tabac.
d. On a................... des œufs en chocolat.
e. Ils a................... les provisions au supermarché.
f. Je c................... mes devoirs le dimanche.

7   Trouve les paires

Ex.   ..*d*.., 1 ...., 2 ...., 3 ...., 4 ...., 5 ....

4   Singulier et pluriel

Mets les verbes au pluriel (1–3) ou au singulier (4–6).

singulier

Ex.   **J'achète** des cadeaux.

1. Tu préfères ces T-shirts?
2. Il complète le travail.
3. Comme sport, elle préfère le rugby.
4. Elle a................... ces chemises.
5. Tu c................... tes devoirs?
6. .... tous les nouveaux CDs.

pluriel

Ex.   **Nous achetons** des cadeaux.

1. Vous .... ces T-shirts?
2. .... le travail.
3. Comme sport, ... le rugby.
1. Elles achètent ces chemises.
2. Vous complétez les devoirs?
4. Nous achetons tous les nouveaux CDs.

Pour t'aider, regarde Encore Tricolore 1*, page 79, et* Grammaire 3.2, page 39 de ce livre.

1 Complète le résumé

Choisis les mots dans la case.

à côté de
*Minou est **à côté de** l'aquarium.*

Minou is (1) .... the fish tank.

en face de
*Le poisson est **en face de** Minou.*

The fish is (2) .... Minou.

The special thing about these two **new** prepositions is that they both end in (3) ....

This means that they sometimes have to change according to the word which follows them.

de + name (✓) **OK**,
e.g. *Dodu est à côté **de** Minnie.*

de + *le* = (4) .... ,
e.g. *La souris est à côté **du** cochon d'Inde.*

de + *la* (✓) **OK**,
e.g. *Le cochon d'Inde est à côté (5) .... souris.*

de + *l'* (✓) **OK**,
e.g. *Le cochon d'Inde est à côté (6) .... éléphant.*

de + *les* = (7) ....,
e.g. *Le chien est en face des animaux.*

| beside | opposite | *de la* | *du* | *des* | *de l'* | *de* |

2 Complète les phrases

Ex. Ma maison est en face *du* café.

1 J'habite en face .... café.
2 Le café est à côté .... banque.
3 La banque est à côté .... hôtel.
4 Le parc est en face .... magasins.
5 La gare est à côté .... parc.
6 Au supermarché, les cartes postales sont à côté .... porte d'entrée (f).
7 Les fruits sont en face .... légumes.
8 La viande est à côté .... poisson.

3 Lexique

Complète le lexique avec les mots dans la case.

Ex.	*dans*	*in*	5	....	*opposite*
1	....	*on*	6	....	*behind*
2	....	*under*	7	....	*beside*
3	....	*between*	8	....	*(France)*
4	....	*in front of*			*in (+ country)*

| dans | en face de | en | sur | sous | devant |
| | à côté de | derrière | entre | | |

4 Le clown et les ballons

Complète les descriptions.

Ex. Le clown est *sur* le ballon.

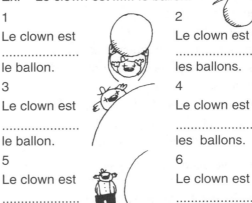

1 Le clown est .... le ballon.
2 Le clown est .... les ballons.
3 Le clown est .... le ballon.
4 Le clown est .... les ballons.
5 Le clown est .... *le** ballon.
6 Le clown est .... les ballons.

* Remember to change this!

5 Sur la plage

Complète les phrases.
Il y a beaucoup de monde sur la plage aujourd'hui.

Ex. Mais où est Alphonse? Il est *entre Mathilde et Geneviève.*

1 Où est Jérôme? Il est .... une chaise.
2 Où est César? Il est ....
3 Où est Minerve? Elle est ....
4 Où est Mathilde? Elle est ....
5 Où est le sac? Il est ....
6 Où est le livre? Il est ....
7 Où est Cléopâtre? Elle est ....
8 Où est Geneviève? Elle est ....
9 Où est la radio? Elle est ....

Pour t'aider, regarde **Encore Tricolore 1**, *page 80, ou Grammaire 1.4, page 38 de ce livre.*

1 Complète le résumé

Choisis un des mots dans la case.

Saying how much you want of something in French is easy, e.g.

> *Cent grammes de fromage, s'il vous plaît, et une bouteille de limonade.*

Most expressions of (1) .... , such as *cent grammes de* (100g of) and *une bouteille de* (a bottle of) end with the short word (2) ....

This never changes except when the next word begins with a vowel, when it changes to (3) .... , e.g. *un kilo* (4) ....*oranges*.

Otherwise it always stays **the same** whether the word following is....

masculine	*cent grammes **de** pâté*
feminine	*cent grammes* (5) .... *salade de tomates*
or plural	*cent grammes* (6) .... *bonbons*

quantity	*de*	*de*	*de*	*d'*	*d'*

2 Lexique

Complète ces expressions et écris l'anglais.

Ex.   deux cent cinquante grammes de fromage   *250 grammes of cheese*

1   une bouteille .... vin

2   une boîte .... sardines

3   une portion .... tarte aux fraises

4   une livre .... petits pois

5   un morceau .... omelette

6   trois tranches .... jambon

7   un litre .... orangeade

8   un demi-kilo .... carottes

9   beaucoup .... argent

10   une douzaine .... œufs

3 C'est quoi, ça?

Ex.   un LIOK **de** MOEPSM   *un kilo de pommes*

1   un AUEPQT **de** SICITUSB

2   une ITEBO **de** HAOCOLCST

3   une LBTUEEIOL **d'** UEA ERLAMNIE

4   deux STENC MASGERM **de** TAPE

5   un RAEMOUC **de** TEUAGA

6   une NOTIROP **de** TIFSER

7   un TIRLE **de** NIV

8   deux RACHNETS **de** HIQUEC

9   une VELIR **de** CHESEP

10   un MIED-IKOL **de** RIPESO

4 Un repas d'anniversaire

Tu prépares un repas froid pour l'anniversaire de ton ami(e). Ecris une liste de 10 choses différentes (avec les quantités).

Ex.   *deux cent cinquante grammes de tomates*

1 ....

2 ....

3 ....

4 ....

5 ....

6 ....

7 ....

8 ....

9 ....

10 ....

Voici des idées:

Salade de pommes de terre   Chips   LIMONADE   Pâté de PARIS   salade verte   Coca   eau minérale

Pour t'aider, regarde **Encore Tricolore 1**, *page 83, ou* **Grammaire 1.4**, *page 38 de ce livre.*

1 Complète le résumé

Choisis un des mots dans la case.
*Nous **n'**avons **pas** de voiture.*
*Il **n'**y a **pas** d'autobus.*
*Je **n'**ai **pas** de vélo.*
*Nous **n'**avons **pas** d'argent.*
*Et maintenant, il **n'**y a **pas** de télévision.*

- All these sentences are in the (1) ....
- Before the verb they all have **ne** (or (2) .... before a vowel).
- They all contain the expression (3) .... – 'not any' or 'not a'.
- After the negative word *pas* always use the word (4) .... (or (5) .... before a vowel).
- Never use *du*, *de la*, *de l'*, or *des* after the (6) ...., e.g.

*Il **n'**y a **pas de** télévision.* There isn't any television.
*Nous **n'**avons **pas***
(7) .... *voiture.* We haven't a car.
*Il **n'**y a **pas***
(8) .... *autobus.* There aren't any buses.
*Nous **n'**avons **pas***
(9) .... *argent.* We haven't any money.

negative negative *n' d' d' d' de de pas de (d')*

2 Complète les phrases et trouve l'image

Ex. Il n'a pas ...*de*... lait. ...*B*...

1 Il n'a pas .... calculatrice. ....
2 Je n'ai pas .... sœurs. ....
3 Il n'a pas .... eau. ....
4 Ils n'ont pas .... parapluie. ....
5 Il n'y a pas .... neige. ....
6 Etienne n'a pas .... règle. ....
7 Il ne reste pas .... bananes. ....
8 Je n'ai pas .... argent. ....

3 Vrai ou faux?

Ex. A l'épicerie, il y a du café. ...V...
A l'épicerie, il n'y a pas de café. ...F...

1 A l'épicerie, il y a des pêches. ....
2 A l'épicerie, il n'y a pas de pêches. ....
3 L'épicier n'a pas de bananes. ....
4 L'épicier n'a pas de jambon. ....
5 L'épicier a des boîtes de petits pois. ....
6 L'épicier n'a pas de boîtes de sardines. ....
7 Il y a des tomates à l'épicerie. ....
8 Il n'y a pas de tomates à l'épicerie. ....

Remember: *un* or *une* also change to *de* (or *d'*) after a negative (e.g. *pas*) when it means 'not any' or 'no'.

4 Avant et après la vente
Avant

Il est 9 heures du matin. Qu'est-ce qu'il y a à vendre?
Il y a une radio, une télévision, une chaise, un skate, un cartable, des livres, une boîte de crayons, des calculatrices, un pantalon et un vélo.

Après
Il y a beaucoup de clients ce matin – ils achètent presque tout! Qu'est-ce qu'il y a à midi?

Ex. Il n'y a pas de *radio*..............
1 Il n'y a pas de ....
2 Il n'y a pas de ....
3 ....
4 ....
5 ....
6 ....
7 ....
8 ....

Il y a seulement une boîte de crayons.

Pour t'aider, regarde Encore Tricolore 1, *page 84*, ou Grammaire 7.3, *page 41 de ce livre*.

1 Complète le résumé

Choisis les mots dans la case.

- *Vendre* is part of another group of (1) .... verbs.
- All the verbs in this group have (2) .... which end in *-re*.
- The part of the infinitive to which you add the ending, is known as (3) ....
- All three plural endings for this group of verbs are (4) .... as for regular *-er* verbs.
  nous vendons
  vous vend......... (5)
  ils/elles vend......... (6)
- But in all the singular parts (*je, tu, il/elle/on*) the endings are (7) ....
  je vends
  tu vends
  il/elle/on vend   In this part there is **NO ending** at all – just use **the stem**.

| the same | different | regular | *-ez* | *-ent* |
| the stem | infinitives | | | |

2 Qui vend ça?

Trouve les paires.

Ex. Pour gagner de l'argent de poche, je .....j.....
1 A la pâtisserie, on ....
2 Mon père est boucher. Il ....
3 A l'épicerie, on ....
4 Nous sommes boulangers, nous ....
5 Au bureau de tabac, on ....
6 Les marchands de glaces ....
7 Est-ce que vous ....
8 Les parfumiers ....
9 Qu'est-ce que tu ....
10 Ma sœur travaille dans un magasin de mode. Elle ....

a vend beaucoup de provisions.
b vend des timbres.
c vend des vêtements.
d vendez du lait ici?
e vend des gâteaux.
f vendent du parfum.
g vendent beaucoup quand il fait chaud.
h vendons du pain.
i vends pour gagner de l'argent de poche?
j vends des glaces pendant les vacances.
k vend de la viande.

3 Complète le tableau

Some other verbs which go like *vendre* are *attendre* – to wait (for), *répondre* – to reply and *descendre* – to go down (or 'to get off', e.g. a train).

vend**re**	attend**re**	répond**re**	descend**re**
je vends	j'attends	je réponds	je descends
tu vends	tu attends	tu	tu ....
il/elle/on vend	il/elle/on	il/elle/on répond	il/elle/on ....
nous vendons	nous attendons	nous.............	nous ....
vous vendez	vous	vous	vous descendez
ils/elles vendent	ils/elles	ils/elles répondent	ils/elles ....

4 Aujourd'hui, c'est samedi

Souligne le mot correct.

Ex. M. Lebrun (vends / <u>vend</u> / vendons) des fruits au marché.
1 Je (réponds / répond / répondez) au téléphone.
2 Les marchands (vend / vendons / vendent) des légumes et des fleurs au marché.
3 Ma mère (descend / descends / descendent) de l'autobus en ville.
4 Mon frère (attends / attendent / attend) ses amis devant la piscine.
5 Des touristes (descend / descendez / descendent) du train.
6 Les enfants (attendent / attendons / attend) devant le cinéma.
7 Nous (répondez / répondons / répondent) à des lettres de nos amis.
8 – Est-ce que vous (attendez / attends / attendons) l'autobus?
9 – Oui, nous allons en ville et nous (descend / descendez / descendons) près du théâtre.
10 – Très bien! Alors, Jean-Pierre, tu (attends / attend / attendez) devant le théâtre aussi.

5 Complète les conversations

Utilise une partie du verbe 'vendre', 'attendre', 'répondre' ou 'descendre'.

Ex. – Vous *vendez* du pâté, Monsieur?
– Non, on *vend* le pâté à la charcuterie.
a – Vous (1) .... du pain Monsieur?
– Non, on (2) .... du pain à la boulangerie.
b – Est-ce qu'on (3) .... l'autobus ici?
– Oui, tous les enfants (4) .... l'autobus ici pour aller à l'école.
c – On y va?
– Non, nous (5) .... Magali. Magali, où es-tu?
– Pardon, je (6) .... au téléphone dans ma chambre. Je (7) .... dans deux minutes!
d – Voici la piscine, tu (8) .... de l'autobus ici?
– Oui, je (9) .... ici.
– Voici nos amis. Ils (10) .... devant la piscine.

Pour t'aider, regarde **Encore Tricolore 1**, *page 86, ou Grammaire 7.4-7.5, page 41 de ce livre.*

1 Complète le tableau

avoir – to have

j'	....	I have, am having
tu	....	you (fam.) have, are having
il	a	.... has, is having
elle	....	she/it has, is having
on	....	(some)one/we has/have, is/are having
nous	....	we have, are having
....	avez	you have, are having
ils	....	they have, are having
....	ont	they (fem.) have, are having

2 Salut!

Souligne le verbe correct.

Salut!

Merci de ta lettre. Tu demandes si nous (Ex.) (<u>avons</u> / avez / as) des animaux à la maison. Oui, nous (1) (avons / as / a) deux chats et un petit oiseau, qui s'appelle Mimi. Les chats (2) (a / avez / ont) un grand panier dans la cuisine et Mimi (3) (a / as / ont) une cage dans ma chambre. Est-ce que vous (4) (a / ai / avez) des animaux aussi?

Dans ma chambre, j' (5) (ont / ai / avons) une chaîne Hi-Fi. Ma sœur aînée (6) (ai / as / a) une télévision dans sa chambre. Mes frères (7) n'(ont / a / avons) pas de télé dans leur chambre, mais ils (8) (a / avons / ont) un ordinateur. Et toi, qu'est-ce que tu (9) (a / as / avez) dans ta chambre? Est-ce que tu (10) (a / as / avez) beaucoup de disques?

A bientôt!

Caroline

3 Un jeu de logique

a *Complète les phrases avec une partie du verbe 'avoir'.*

b *Qui parle – un garçon (G) ou une fille (F)?*

Ex. J'ai. un frère – nous sommes jumeaux identiques. ..... G .....

1 Mes parents n'.................... pas de fils et j'.................... deux sœurs. ....

2 Mon père .... seulement un fils; c'est moi! ....

3 J'.................... un frère. Mon frère n'.................... pas de sœur. ....

4 J'.................... une sœur, Marie-Claire – nous sommes jumelles. ....

5 Dans notre famille, nous n'..................pas de filles. ....

6 Mon frère Alain n'.................... pas de frères. ....

7 Mes deux sœurs .... un frère. Moi, j'.................... deux sœurs. ....

4 Qu'est-ce qu'on dit?

Ex.  Combien de frères as-tu?

1 Combien de sœurs .... ?

2 Est-ce que .... un chien?

3 Quel âge .... ?

4 .... des pommes?

5 .... une chambre pour ce soir?

6 Oui, nous .... une chambre.

7 Qu'est-ce que .... comme sandwichs?

8 Nous .... des sandwichs au fromage et au jambon.

9  Ils .... quels parfums?

10  On .... fraise, citron et chocolat.

5 Un acrostiche

Verticalement

Ex. Nous ..... un ordinateur à la maison.

Horizontalement

1 J'..... douze ans.

2 Qu'est-ce que vous ..... comme glaces?

3 ..... avons du lait.

4 Est-ce qu'ils ..... de l'argent pour le bus?

5 Tu ..... des frères ou des sœurs?

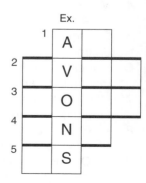

Ex.

1	A	
2	V	
3	O	
4	N	
5	S	

Pour t'aider, regarde **Encore Tricolore 1**, *pages 90 et 96, ou Grammaire 2.3, page 39 de ce livre.*

1 Complète le résumé

masculine feminine before a plural
vowel

his/her/its ....

Son, sa and *ses* can all mean 'his', 'her' or 'its'. The word you need depends on the word that follows (whether it is masculine, feminine, beginning with a vowel or plural), and **not** with the owner, e.g.

Marc met son jean noir.	Mark is wearing *his* black jeans.
Sophie prend son sac.	Sophie takes .... bag.
Le chat boit son lait.	The cat drinks .... milk.
Il cherche sa raquette de tennis.	He is looking for .... tennis racket.
Elle met sa veste.	She puts on .... jacket.
Le cochon d'Inde est dans sa cage.	The guinea pig is in .... cage.

2 His

Complète avec 'son', 'sa' ou 'ses'.

1 Luc regarde .... vêtements.
2 .... sweat-shirt (m) n'est pas propre.
3 Il n'aime pas la couleur de .... jean.
4 .... chaussures sont trop petites.
5 Il ne trouve pas .... pull (m).
6 Enfin, il met .... short (m) et .... chemise (f) de football.
7 Puis il met .... chaussettes et .... baskets.
8 Il met .... affaires dans .... sac de sport.
9 Il prend .... argent et il regarde .... montre (f).
10 Il prend .... vélo (m) et il va au stade.

3 Her

Complète avec 'son', 'sa' ou 'ses'.

1 Nicole est dans .... chambre (f).
2 Elle fait .... valise (f).
3 Elle met .... T-shirts, ... jean et .... sweat-shirt dans la valise.
4 Elle cherche .... appareil (m).
5 Elle trouve .... chaussures de tennis dans le salon.
6 Elle cherche .... raquette de tennis et .... balles.
7 Elle met .... maillot (m) de bain et .... livre (m) dans la valise.
8 Elle met .... imper et .... gants.
9 Elle regarde .... montre.
10 Elle dit au revoir à .... parents et elle va à la gare.

4 Its

Complète avec 'son', 'sa' ou 'ses'.

1 Le lapin est dans .... cage.
2 Il mange .... carottes.
3 Il boit .... eau.
4 Le chat mange .... poisson (m) et boit .... lait.
5 Le chien mange .... viande (f).
6 La souris reste dans .... maison (f) et mange .... fromage (m).
7 L'oiseau entre dans .... cage.
8 Le poisson est dans .... aquarium.
9 Le chat est dans .... boîte (f).
10 Le petit cheval regarde .... mère.

5 Trouve le bon mot

Choisis le bon mot et écris l'anglais.

Ex. Louis met son (pull / chaussures).   *son pull – his jumper*
1 Sophie cherche ses (cartable / livres).
2 Le chat joue avec sa (balle / amis).
3 M. Legrand met ses (veste / lunettes).
4 Marie aide son (mère / père).
5 Nicolas range ses (affaires / vélo).
6 Luc trouve son (appareil / raquette de tennis).
7 Le chien mange sa (biscuits / viande).
8 Claire trouve son (sac / chaussettes).
9 Lucie n'aime pas son (jean / lunettes).
10 Le lapin mange ses (légumes / eau).

Pour t'aider, regarde **Encore Tricolore 1**, *page 91, ou*
Grammaire 7.4, page 41 de ce livre.

1 Complète le tableau

mettre – to put on, wear (clothes), take (time), lay (table)

je .... I put, am putting

tu .... you (fam.) put, are putting

il .... he/it puts, is putting

elle .... she/it puts, is putting

on .... (some)one/we put/s, is/are putting

nous .... we put, are putting

vous .... you put, are putting

ils .... they put, are putting

elles .... they (fem.) put, are putting

2 Qu'est-ce que ça veut dire?

Trouve les paires.

Ex. Les enfants mettent la table pour le dîner. ...g....

1 Il met un CD. ....

2 Mets la table pour huit personnes,
s'il te plaît. ....

3 Mets les phrases dans le bon ordre. ....

4 Où est-ce que je mets les provisions? ....

5 Vous mettez combien de temps pour
aller à Paris? ....

6 Pour le concert, les garçons mettent
un complet noir. ....

a *Put the sentences in the correct order.*

b *For the concert the boys wear a black suit.*

c *He puts on a CD.*

d *How long do you take to get to Paris?*

e *Set the table for eight people, please.*

f *Where shall I put the food?*

g *The children set the table for dinner.*

3 Complète les questions

Ex. Où est-ce que je ..mets.. mon manteau?

1 Qu'est-ce que tu .... pour la
discothèque?

2 Est-ce que Jean .... ses chaussures
de football?

3 Qu'est-ce que vous .... pour le bal
déguisé?

4 Est-ce que Sophie .... son costume
de fantôme?

5 Tu .... combien de temps pour aller
au collège?

6 Qu'est-ce que tes amis .... pour aller
au collège?

7 Où est-ce que nous .... les valises?

8 Je .... la table pour combien de
personnes?

4 Complète les réponses

Ex. ..Mets.. ton manteau sur la chaise.

a Nous .... un costume de clown.

b Je .... environ vingt minutes.

c .... la table pour cinq personnes, s'il
te plaît.

d .... les valises sous le lit, s'il vous plaît.

e Ils .... un jean et un sweat-shirt,
normalement.

f Non, elle ne .... pas ça, elle
.... un costume de dragon.

g Non, il .... ses nouvelles baskets.

h Je .... mon nouveau jean et un T-shirt.

5 Trouve les paires

1 ...., 2 ...., 3 ...., 4 ...., 5 ...., 6 ....,

7 ...., 8..........

6 Mots croisés

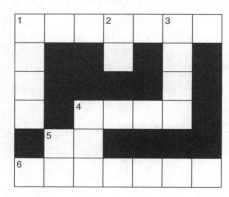

Horizontalement

1 Où est-ce que nous .... le magnétoscope?

4 Je .... mon nouveau jean pour aller au cinéma.

5 .... mets dix minutes pour aller en ville.

6 Les filles .... une jupe noire et un chemisier blanc pour le concert.

Verticalement

1 .... ce sac dans la cuisine, s'il te plaît.

2 Qu'est-ce que .... mets pour aller au restaurant?

3 .... mettons des valises dans la voiture.

4 On .... combien de temps pour aller au camping?

5 .... mets mon short et mon T-shirt pour le match.

Pour t'aider, regarde Encore Tricolore 1, page 93, ou Grammaire 1.5, page 38 de ce livre.

1 Complète le résumé

masculine	masc. before a vowel	feminine	plural
...*ce*...	....	....	....
pull	anorak	couleur	chaussures

Ce, cet or *cette* before a singular noun means 'this' or 'that'.

Ces before a plural noun means 'these' or 'those', e.g.

.... *livre (m) est très intéressant.* This book is very interesting.

.... *appareil (m) n'est pas cher.* This camera isn't expensive.

.... *carte postale (f) est amusante.* This postcard is amusing.

.... *écharpe (f) est jolie.* This scarf is pretty.

.... *gâteaux (pl) sont délicieux.* These cakes are delicious.

2 La publicité, un métier pour toi?

Complète les phrases.

fantastique

A *Des mots masculins – 'ce' ou 'cet'.*

Ex. Goûtez *ce* fromage délicieux.

1 Achetez .... livre passionnant.
2 .... sac de sport est très pratique.
3 Achetez .... ordinateur exceptionnel.
4 .... maillot de bain est parfait pour la plage.
5 Regardez .... T-shirt amusant.
6 Achetez .... appareil pour faire de belles photos.
7 Goûtez .... pâté excellent.
8 .... instrument de musique est de très bonne qualité.
9 Ecrivez avec .... beau stylo.
10 Achetez .... chapeau de soleil pour vous protéger du soleil.

B *Des mots féminins et des mots pluriels – 'cette' ou 'ces'.*

Ex. Achetez *cette* veste très chic.

1 Ecoutez .... musique fantastique.
2 Essayez .... voiture magnifique.
3 Regardez .... lunettes de soleil.
4 Envoyez .... carte à un ami spécial.
5 .... valise est très pratique pour les vacances.
6 Regardez .... chaussures élégantes.
7 Essayez .... gomme magique.
8 Achetez .... chaussettes amusantes.
9 .... raquette de tennis est excellente.
10 .... gants sont de bonne qualité.

nouveau

offres fantastiques

3 Aux magasins

Trouve les paires.

1 Je prends ces .... | a anorak en d'autres couleurs?
2 Avez-vous cet .... | b T-shirt ou ce sweat shirt.
3 Je ne sais pas si je vais acheter ce .... | c chaussures, s'il vous plaît.
4 Tu aimes cette .... | d chaussettes sont chouettes.
5 Ces .... | e ceinture noire?
6 Cette .... | f carte postale est jolie.
7 Cet .... | g magazine sur le sport est intéressant.
8 Ce .... | h anorak est énorme.

4 Jeu de définitions

Complète les définitions, puis trouve la solution.

Ex. On trouve *cette* couleur dans le drapeau tricolore. Ça commence avec 'b', mais ce n'est pas le bleu. *le blanc*
     On met souvent *ce* vêtement pour faire du sport. *un short*

1 .... objet est très utile pour faire des calculs. ....
2 On prépare des repas dans .... chambre. ....
3 Pour faire .... couleur, on mélange le noir et le blanc. ....
4 .... légumes sont petits, ronds et verts. ....
5 On met .... vêtement si on va à la piscine. ....
6 On achète du pain et des croissants dans .... magasin, mais ce n'est pas un supermarché. ....
7 .... sport est très populaire en France et en Grande-Bretagne aussi. C'est un sport d'équipe avec 11 joueurs. ....
8 On boit .... boisson chaude souvent en Grande-Bretagne avec du lait, et quelquefois avec du citron. ....
9 En été, on mange .... petits fruits rouges et délicieux avec de la crème. ....
10 .... animal est végétarien. Il a de longues oreilles et une toute petite queue. ....

Pour t'aider, regarde Encore Tricolore 1, *pages 102 et 107, ou Grammaire 7.4 et 7.6, page 41 de ce livre.*

1 Complète le tableau

faire – to do, to make

je	fais	I do, am doing
tu	....	you (fam.) do, are doing
il	....	he/it does, is doing
....	....	she/it does, is doing
on	....	(some)one/we do/es, is/are doing
nous	faisons	.... do, are doing
....	....	you do, are doing
ils	....	they do, are doing
....	font	they (fem.) do, are doing

2 Trouve les paires

Ex.	Ils font de l'athlétisme.	....E..
1	Il fait très chaud.	....
2	Nous faisons des photos.	....
3	Vous faites une promenade?	....
4	Il fait mauvais.	....
5	Ils font du théâtre.	....
6	Elle fait de l'équitation.	....
7	Tu fais des courses?	....
8	Elles font du ski.	....

3 Lexique

> Notice how in some expressions the verb *faire* is often translated in English by other words than 'do' or 'make', e.g. 'go' or 'take'.

Complète le lexique.

français		**anglais**
Ex.	faire de la voile	*to go sailing*
1	faire	*to go shopping*
2	faire	*to go skiing*
3	....	*to go horse-riding*
4	....	*to do drama/acting*
5	....	*to go swimming*
6	....	*to go for a walk*
7	....	*to go wind-surfing*
8	....	*to take photos*
9	il	*it's bad weather*
10	il	*it's hot (weather)*

4 Tout le monde travaille

A *Complète les bulles avec une partie du verbe 'faire'.*

Je (Ex.) <u>fais</u> du jardinage. Qu'est-ce que tu (1) .... Lucie? Tu viens m'aider?

Je regrette, mais je (2) .... de l'informatique pour papa. Mais les jumelles, qu'est-ce qu'elles (3) ....?

Marie, Brigitte! Que (4) ....-vous? Venez m'aider dans le jardin!

Désolées, mais nous (5) .... nos devoirs. Demande à Maman ou à Papa.

Maman et Papa, que (6) ....-vous? Vous venez m'aider dans le jardin?

Impossible, Robert! Moi, je (7) .... un gâteau et Papa (8) .... de la peinture.

Zut! Tout le monde (9) .... quelque chose! Nous (10) .... trop de travail dans cette famille!

B *Complète les phrases et écris V (vrai) ou F (faux).*

Ex.	Papa fait de la peinture.	...V..
1	Maman .... du travail dans le jardin.	.....
2	Robert .... du jardinage.	.....
3	Toutes les filles .... de la lecture.	.....
4	Lucie et sa mère .... un gâteau.	.....
5	Tout le monde .... quelque chose.	.....

5 Comment dit-on en français?

Ex.	She is doing some gardening.	*Elle fait du jardinage.*
1	*I am doing the shopping.*	....
2	*We are making a cake.*	....
3	*He is going horse-riding.*	....
4	*What are you* (vous) *doing?*	....
5	*Do you* (tu) *go sailing?*	....
6	*I'm taking some photos.*	....
7	*It's nice weather.*	....
8	*We are skiing.*	....

Pour t'aider, regarde Encore Tricolore 1, *pages 96 et 104, ou Grammaire 2.3, page 39 de ce livre.*

1   Complète le résumé

Choisis les mots dans la case.

In French there are (1) .... words for 'our' – *notre* and *nos*.

If you're using *vous*, there are (2) .... words for 'your' – *votre* and *vos*.

And there are two words for 'their' – (3) .... and (4) ....

You have to decide which of the two words to use by looking at the noun which **follows** – **not** the owner.

Before a **singular** noun:

     for 'our', use *notre*, e.g. (5) .... *maison*;

     for 'your', use (6) ...., e.g. .... *jardin*;

     for 'their', use (7) ...., e.g. .... *ville*.

Before a **plural** noun:

     for 'our', use *nos*, e.g. (8) .... *amis*;

     for 'your', use (9) ...., e.g. .... *disques*;

     for 'their', use (10) ...., e.g. .... *animaux*.

leur	leur	leur	leurs	leurs	leurs	nos	notre
	two	two	*vos*	*vos*	*votre*	*votre*	

2   On part en vacances

Souligne le mot correct.

– Où allez-vous pour (Ex.) (votre / <u>vos</u> / leurs) vacances cette année?

– Cette année, nous allons chez (1) (notre / nos / vos) tante Hélène, (2) (notre / vos / leur) oncle Jacques et (3) (notre / nos / leur) trois cousins. Ils habitent au bord de la mer et (4) (leurs / leur / notre) maison est très grande.

– Ils sont gentils, (5) (votre / notre / vos) cousins?

– Les deux garçons sont très amusants, mais (6) (leur / leurs / notre) sœur est un peu difficile.

– Est-ce qu'ils ont des animaux?

– Bien sûr, ils ont un chien et deux chats. (7) (Leurs / Leur / Votre) chien s'appelle Ludo et (8) (votre / vos / leurs) chats s'appellent Minnie et Mickey.

– Vous allez voyager dans (9) (votre / notre / vos) petite voiture?

– Non, elle est trop petite. On prend la voiture de (10) (leurs / notre / nos) grands-parents – elle est beaucoup plus grande.

3   A l'hôtel

Complète les phrases.
Qui parle – la réceptionniste (R) ou les visiteurs (V)?

Ex.   A quelle heure prenons-nous <u>notre</u> dîner?   ..<u>V</u>..

1   Quelle est v.............. adresse?   ....

2   Quel est v.............. numéro de téléphone en Grande-Bretagne?   ....

3   Est-ce que les visiteurs prennent le petit déjeuner dans l.............. chambres?   ....

4   Montrez-moi v.............. passeports, s'il vous plaît.   ....

4   C'est quoi, en français?

Ecris en français.

Ex.   *our house*   ...*notre maison*...

1   *our family*   ....

2   *your family*   ....

3   *their family*   ....

4   *your friends*   ....

5   *our friends*   ....

6   *their friends*   ....

7   *your brother*   ....

8   *our sisters*   ....

9   *their parents*   ....

10   *our cat*   ....

5   Questions et réponses

When you are asked a question using *votre/vos*, you might need to use *notre/nos* in your reply, e.g.
– *Est-ce que **vos** professeurs sont gentils?*
– *Oui **nos** profs sont assez gentils.*

A   *Complète les questions.*

1   C'est ici, v.............. maison?

2   C'est v.............. voiture, là-bas?

3   V.............. collège est près d'ici?

4   Vous faites v.............. courses en ville?

5   Est-ce qu'il y a beaucoup à faire dans v.............. ville?

B   *Complète les réponses.*

a   Oui, nous faisons n.............. courses en ville, le samedi matin.

b   Non, n.............. maison est là-bas, en face de l'église.

c   Oui, oui. N.............. ville est très grande.

d   Non, n.............. voiture est dans le garage.

e   Non. Nous prenons l'autobus pour aller à n.............. collège.

C   *Trouve les paires.*

    1 ...., 2 ...., 3 ...., 4 ...., 5 ....

5   Est-ce que les enfants ont la télévision dans l.......... chambre?   ....

6   On va mettre v.............. valises dans (7) v.............. chambre.   ....

8   Où sont n.............. chambres, s'il vous plaît?   ....

9   Est-ce qu'il y a une place pour n.............. voiture?   ....

10   Mettez v.............. voiture sur le parking, derrière l'hôtel.   ....

Pour t'aider, regarde **Encore Tricolore 1**, *page 107, et Grammaire 3.1-3.2, page 39 de ce livre.*

1 Complète le résumé

Choisis les mots dans la case.

The verb *jouer* means (1) .... It is a (2) .... -er verb. Remember to choose the correct preposition to follow it.

With games or sports:

Most games are masculine, so use *jouer **au*** (singular) and *jouer **aux*** (plural), e.g.

Le samedi, je joue au football.

Tu joues aux échecs avec moi?

With musical instruments:

masculine	feminine	before a vowel	plural
du piano	*de la* flûte	*de l'* accordéon	*des* castagnettes

Notice that to say that you **don't** play any instrument, use *d'*, e.g.

    je ne joue pas (3) ....*instrument.*

Try these examples:

    je joue (4) .... *guitare (f)*

    je joue (5) .... *tennis (m)*

    il joue (6) .... *piano (m)*

    elles jouent (7) .... *cartes*

regular	de la	du	d'	au	aux	to play

2 Complète les phrases

Ex.   Je joue .a̲u̲. cricket.

1   Tu joues .... football?

2   Il joue .... rugby.

3   Elle joue .... basket.

4   On joue .... golf?

5   Nous jouons .... échecs.

6   Je ne joue pas .... cartes.

7   Vous jouez .... piano?

8   Ils jouent .... guitare.

9   Elles jouent .... violon.

10 Mon frère joue .... flûte.

11 Il ne joue pas .... piano.

12 Ma sœur ne joue pas .... instrument.

3 Complète ces phrases aussi

Ex.   Ce soir, je j̲o̲u̲e̲ ̲a̲u̲ badminton.

1   Cet après-midi, nous .... cricket.

2   Je .... violon dans l'orchestre de mon école.

3   Est-ce que tu .... piano?

4   Non, mais je .... flûte.

5   Mes amis .... rugby tous les samedis.

6   Je ne .... pas .... badminton, mais j'adore le tennis de table.

7   Vous .... football ce week-end?

8   Non, il fait trop chaud. On .... tennis.

9   On va au concert ce soir, parce que ma sœur .... guitare.

10 Moi aussi, parce que mes frères .... piano.

4 Une lettre d'Alex

A *Complète les blancs a-h.*

Salut!

Merci de ta lettre intéressante. Moi aussi, j'aime le sport. Je joue (Ex.) a̲u̲ ̲f̲o̲o̲t̲b̲a̲l̲l̲ en hiver et (a) .... tennis en été. (1) Est-ce que tu joues (b) .... football? (2) Qu'est-ce que tu fais comme sports? En hiver, quand il fait froid, je joue (c) .... échecs avec mon frère. (3) Est-ce que tu joues (d) .... échecs ou (e) .... cartes?

    (4) Est-ce que tu joues (f) .... un instrument de musique? Dans ma famille, nous jouons tous (g) .... guitare. (5) Toi, tu joues (h) .... quel instrument?

A bientôt!

Alex

B *Ecris une lettre à Alex. Réponds à ses questions (1–5).*

Ex.   Cher Alex,

        Merci de ta lettre. Oui, je joue au football.

or   Non, je ne joue pas au football.

1   Complète le résumé

These are some of the most common verbs you'll use in French.

jouer – to play (regular -er verb)

je	....	.... jouons
tu	....	vous ....
il/elle/on	ils/elles ....

attendre – to wait for (regular -re verb)

j'	....	nous ....
.... attends	.... attendez
il/elle/on	ils/elles ....

aller – to go

.... vais	.... allons
tu	vous ....
il/elle/on	.... vont

avoir – to have

j'	....	.... avons
tu	....	.... avez
.... a	ils/elles ....

être – to be

je	....	.... sommes
tu	....	vous ....
il/elle/on	ils/elles ....

faire – to do, make etc.

je	....	nous ....
.... fais	.... faites
il/elle/on	ils/elles ....

2   Complète la lettre

Salut!

Je (Ex. être) *suis* ton nouveau correspondant français. Je m'appelle Dominique, et j' (1 avoir) .... douze ans. Dans ma famille, nous (2 être) .... cinq. Il y (3 avoir) .... mes parents, mon frère, ma sœur et moi. Nous (4 avoir) .... aussi deux chats. Et toi, (5 avoir) ....-tu un animal?

Nous (6 habiter) .... à La Rochelle. J' (7 aimer) .... bien la ville.

Mes parents (8 travailler) .... dans un magasin de sport. Ils (9 vendre) .... tout pour le sport. Toute la famille (10 adorer) .... le sport, sauf moi. Mon frère (11 jouer) .... au golf, ma sœur (12 jouer) .... au basket, mes parents (13 jouer) .... au tennis. Mais moi, je (14 détester) .... le sport. Et toi, tu (15 aimer) .... le sport?

Moi, j' (16 adorer) .... la musique. J' (17 écouter) .... de la musique tout le temps et je (18 jouer) .... de la guitare.

Samedi soir, je (19 aller) .... à un grand concert de rock. Et toi, qu'est-ce que tu (20 faire) .... le samedi soir?

A bientôt,

Dominique

3   Mots croisés

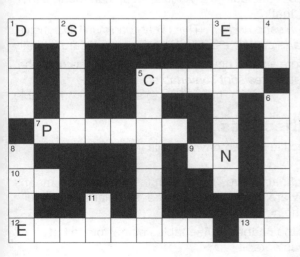

Horizontalement

1   Les élèves ..... les cahiers. (distribuer)
5   Ça ..... combien? (durer)
7   Qu'est-ce tu ..... du nouveau prof? (penser)
9   ..... va au cinéma?
10   ..... arrive à quelle heure, le train?
12   Nicole et Marc ..... la musique en silence. (écouter)
13   ..... fais de la gymnastique avec mon amie.

Verticalement

1   Le match ..... combien de temps? (durer)
2   Le chat ..... sur la cage. (sauter)
3   La porte est ouverte, alors nous ..... dans la salle de classe. (entrer)
4   ..... prépares le dîner?
5   Elle ..... son cartable, mais il n'est pas dans la salle de classe. (chercher)
6   L'autobus ..... le collège à cinq heures. (quitter)
8   Le soir, j'..... mon petit frère avec ses devoirs. (aider)
11   Qu'est-ce que ..... mets dans ta valise?

Grammaire

1 Nouns

A noun is the name of someone or something or the word for a thing, e.g. Melanie, Mr. James, a book, a pen, work.

1.1 Masculine and feminine

All nouns in French are either masculine or feminine.

masculine singular	feminine singular
le garçon *un* village	*la* fille *une* ville
before a vowel *l'*appartement	before a vowel *l'*épicerie

Nouns which refer to people often have a special feminine form, which usually ends in *-e*.

masculine	feminine
un ami *un Français* *un client*	*une amie* *une Française* *une cliente*

But sometimes there is no special feminine form.

un touriste *un élève* *un enfant*	*une touriste* *une élève* *une enfant*

1.2 Singular and plural

Nouns can be singular (referring to just one thing or person) or plural (referring to more than one thing or person):

un chien   *des chiens*

Most nouns form the plural by adding an *-s*. This is not usually sounded, so the word may sound the same when you hear or say it.

The words *le*, *la* and *l'* become *les* in the plural and this does sound different. The words *un* and *une* become *des*.

singular	plural
le chat	*les chats*
la maison	*les maisons*
l'ami	*les amis*
un livre	*des livres*
une table	*des tables*

However, a few words have a plural ending in *-x*.

un cadeau	*des cadeaux*
un oiseau	*des oiseaux*
un animal	*des animaux*

Nouns which already end in *-s*, *-x* or *-z* don't change in the plural:

un repas	*des repas*
une souris	*des souris*
le prix	*les prix*

1.3 Etre + job

The names of many jobs have a masculine and a feminine form:

masculine	feminine	English
infirmier	*infirmière*	nurse
vendeur	*vendeuse*	sales assistant

When you describe someone's profession, you don't include the article (word for 'a' or 'an') in French, e.g.

Mon père est vendeur.   My father is a salesman.
Ma mère est infirmière.   My mother is a nurse.

1.4 Some or any

The word for 'some' or 'any' changes according to the noun it is used with.

singular			plural
masculine	feminine	before a vowel	(all forms)
du pain	*de la viande*	*de l'eau*	*des poires*

Sometimes you do not use *du/de la/de l'/des* but just *de* or *d'*. This happens in the following cases:

- after the negative, (*ne ... pas*)
  Je n'ai pas d'argent.   I haven't any money.
  Il n'y a pas de pain.   There's no bread.
- after expressions of quantity.
  un kilo de poires   a kilo of pears
  un morceau de fromage a piece of cheese
  une portion de frites   a portion of chips
  beaucoup de bananes   a lot of bananas

1.5 *Ce, cet, cette, ces*

The different forms of *ce* are used instead of *le*, *l'*, *la*, *les* when you want to point out a particular thing or person:

singular			plural
masculine	before a vowel (masc. only)	feminine	(all forms)
ce chapeau	*cet anorak*	*cette jupe*	*ces chaussures*

Ce, *cet* or *cette* before a singular noun can mean either 'this' or 'that'.
Ce livre n'est pas cher.   This (That) book isn't expensive.
Cette carte postale est jolie. This (That) postcard is pretty.

Ces before a plural noun can mean either 'these' or 'those'.
Ces chaussures sont confortables.
                     These (Those) shoes are comfortable.

2 Adjectives

An adjective is a word which tells you more about a noun.

In French, adjectives agree with the noun, which means that they are masculine, feminine, singular or plural to match the noun.

Look at the patterns in the tables below to see how adjectives agree.

2.1 Regular adjectives

singular		plural	
masculine	**feminine**	**masculine**	**feminine**

Many adjectives follow this pattern:

grand	grande	grands	grandes
intelligent	intelligente	intelligents	intelligentes
petit	petite	petits	petites

Adjectives which end in -u, -i or -é follow this pattern, but although the spelling changes, they don't sound any different when you say them:

bleu	bleue	bleus	bleues
joli	jolie	jolis	jolies

Adjectives which already end in -e (with no accent) have no different feminine form:

jaune	jaune	jaunes	jaunes
mince	mince	minces	minces

Adjectives which already end in -s have no different masculine plural form:

français	française	français	françaises

Adjectives which end in -er follow this pattern:

cher	chère	chers	chères

Adjectives which end in -eux follow this pattern:

délicieux	délicieuse	délicieux	délicieuses

Some adjectives double the last letter before adding an -e for the feminine form:

mignon	mignonne	mignons	mignonnes
gros	grosse	gros	grosses
bon	bonne	bons	bonnes

2.2 Irregular adjectives

Many common adjectives are irregular, and you need to learn each one separately. Here are two which are used in this book:

blanc	blanche	blancs	blanches
long	longue	longs	longues

A few adjectives do not change at all:

marron	marron	marron	marron

Words like this are known as 'invariable'.

2.3 My, your, his, her, its, our, their

	singular			plural
	masculine	**feminine**	**before a vowel**	**(all forms)**
my	mon	ma	mon	mes
your	ton	ta	ton	tes
his/her/its	son	sa	son	ses
our	notre	notre	notre	nos
your	votre	votre	votre	vos
their	leur	leur	leur	leurs

These words show who something or somebody belongs to. They agree with the noun that follows them and **not** with the person.
Son, sa, ses can mean 'his', 'her' or 'its'. The meaning is usually clear from the context.

Paul mange son déjeuner.	Paul is eating his lunch.
Marie mange son déjeuner.	Marie is eating her lunch.
Le chien mange son déjeuner.	The dog is eating its lunch.

Before a feminine noun beginning with a vowel, you use *mon, ton* or *son*:
Mon amie s'appelle Nicole.
　　　　　　　　My (girl)friend's called Nicole.
Où habite ton amie, Françoise?
　　　　　　　Where does your friend Françoise live?
Son école est fermée aujourd'hui.
　　　　　　　His/Her school is closed today.

3 Prepositions

A preposition is a word like 'to', 'at' or 'from'. It often tells you where a person or thing is located.

3.1 *à* (to, at)

The word *à* can mean 'to' or 'at'. When it is used with *le, la, l'* and *les* to mean 'to the ...' or 'at the ...', it takes the following forms:

	singular			plural
	masculine	**feminine**	**before a vowel**	**(all forms)**
	au parc	à la piscine	à l'épicerie à l'hôtel	aux magasins

On va au parc?	Shall we go to the park?
Dominique va à la piscine.	
	Dominique is going to the swimming pool.
Ma mère va à l'hôtel.	My mother's going to the hotel.
Moi, je vais aux magasins.	I'm going to the shops.

The word *à* can be used on its own with nouns which do not have an article (*le, la, les*):

Il va à Paris.	He is going to Paris.

3.2 *de* (of, from)

The word *de* can mean 'of' or 'from'. When it is used with *le, la, l'* and *les* to mean 'of the ...' or 'from the ...', it takes the same forms as when it means 'some' or 'any' (see section 1.4):

	singular			plural
	masculine	**feminine**	**before a vowel**	**(all forms)**
	du parc	de la piscine	de l'épicerie de l'hôtel	des magasins

The word *de* is often used together with other words, e.g. *en face de* (opposite), *à côté de* (next to).
La poste est en face des magasins.
　　　　　　The post office is opposite the shops.
La banque est à côté de l'hôtel.
　　　　　　The bank is next to the hotel.

The word *de* can be used on its own with nouns which do not have an article (*le, la, les*):
Il arrive de Paris aujourd'hui.
　　　　　　He is arriving from Paris today.

3.3 *en* (by, in, to, made of)

En is used with most means of transport:

en autobus	by bus
en voiture	by car

You use *en* with dates, months and the seasons (except *le printemps*)

en 1900	in 1900
en janvier	in January
en hiver	in Winter (but *au printemps* – in Spring)

4   Time, numbers and dates

4.1 *L'heure*

Il est une heure/deux heures/trois heures …

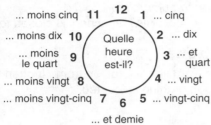

12:00	Il est midi Il est minuit
12:30	Il est midi et demi Il est minuit et demi

4.2 *Les chiffres*

0	*zéro*	21	*vingt et un*
1	*un*	22	*vingt-deux*
2	*deux*	23	*vingt-trois*
3	*trois*	30	*trente*
4	*quatre*	31	*trente et un*
5	*cinq*	40	*quarante*
6	*six*	41	*quarante et un*
7	*sept*	50	*cinquante*
8	*huit*	51	*cinquante et un*
9	*neuf*	60	*soixante*
10	*dix*	61	*soixante et un*
11	*onze*	70	*soixante-dix*
12	*douze*	71	*soixante et onze*
13	*treize*	72	*soixante douze*
14	*quatorze*	80	*quatre-vingts*
15	*quinze*	81	*quatre-vingt-un*
16	*seize*	82	*quatre-vingt-deux*
17	*dix-sept*	90	*quatre-vingt-dix*
18	*dix-huit*	91	*quatre-vingt-onze*
19	*dix-neuf*	100	*cent*
20	*vingt*	1000	*mille*

premier (première)	first
deuxième	second
troisième	third

4.3 *Les jours de la semaine*

lundi	Monday
mardi	Tuesday
mercredi	Wednesday
jeudi	Thursday
vendredi	Friday
samedi	Saturday
dimanche	Sunday

4.4 *Les mois de l'année*

janvier	January
février	February
mars	March
avril	April
mai	May
juin	June
juillet	July
août	August
septembre	September
octobre	October
novembre	November
décembre	December

5   The negative

To say what is **not** happening or **didn't** happen (in other words to make a sentence negative), you put *ne* (*n'* before a vowel) and *pas* round the verb.

Je ne joue pas au badminton.	I don't play badminton.
N'oublie pas ton argent.	Don't forget your money.
Il n'aime pas le football.	He doesn't like football.
Elle ne mange pas de viande.	She doesn't eat meat.

Remember to use *de* after the negative instead of *du*, *de la*, *des*, *un* or *une* (except with the verb *être*):
– *Avez-vous du lait?*
– *Non, je ne vends pas de lait.*

6   Questions

6.1 Question words

Qui est-ce?	Who is it?
Quand arrivez-vous?	When are you arriving?
Comment est-il?	What is it (he) like?
Comment allez-vous? *Comment ça va?*	How are you?
C'est combien?	How much is it?
Qu'est-ce que c'est?	What is it?
C'est à quelle heure, le concert?	What time is the concert?
Où est le chat?	Where's the cat?
Qu'est-ce qu'il y a à la télé?	What's on TV?
De quelle couleur est ton cartable?	What colour is your school bag?
Quel temps fait-il?	What's the weather like?

6.2 Asking questions

There are several ways of asking a question in French.

- You can just raise your voice in a questioning way:
  Tu as des frères et des sœurs?
  Do you have brothers and sisters?
- You can add *Est-ce que* to the beginning of the sentence:
  Est-ce que tu as un animal? Do you have a pet?
- You can turn the verb around:
  Avez-vous des idées?   Do you have any ideas?
  Jouez-vous au badminton? Do you play badminton?
- You can use a question word.